Diez Cuentistas Ecuatorianos
Ten Stories from Ecuador

Diez Cuentistas Ecuatorianos

Ten Stories from Ecuador

EDICIONES LIBRI MUNDI
ENRIQUE GROSSE-LUEMERN

Segunda edición/Second edition. 1993

Traducción/Translation:
© Mary Ellen Fieweger

Prólogo/Prologue:
María del Carmen Fernández

Portada/Cover design:
Oleo/Oil: Nelson Román
Fotografía/Photography: Jaime Zalamea
Diseño/Design: Grupo Esquina

Fotocomposición y diseño gráfico:
Photocomposition and graphic design:
Grupo Esquina editores-diseñadores S.A.

Impresión/Printing:
Imprenta Mariscal

ISBN: 9978-9902-1-6

"Night Train" appeared in *Stories* magazine. Boston, March 1988.
An edited version of "Of Two-Headed Beings and Others" was published in *Review: Latin American Literature and Arts*, # 42. New York, 1990.

Ediciones Libri Mundi Enrique Grosse-Luemern.
Juan León Mera 851
P.O. Box 3029
Quito, Ecuador.

Prólogo
Prologue

This anthology is composed of stories by ten Ecuadorian writers born in the 1940s and 1950s. Their creators are, without exception, well known figures in the nation's cultural life. All began their literary careers in the seventies and have continued refining their skills in the intervening decades. The works produced by these writers are outstanding examples of the contemporary Ecuadorian short story.

The editors are fully aware of the many writers who have made important contributions to the development of the Ecuadorian short story, and who, for chronological reasons, might have been included in this collections. The anthology does not pretend to be exhaustive, and much less definitive, as it does not include samples of the works produced by all member of a particular generation. Instead, the criteria used in making this selection was a desire that it be varied and interesting.

This bilingual collection was produced especially for foreign readers in order to provide a multifaceted view of Ecuador through some of the nation's contemporary short stories. Readers will find a range of experience in these pages, from a romantic retrospective evoking Ecuador's pseudo-hippy period in THE UNDERTOW by Pablo Cuvi, to the hipocrisy and provincialism characterizing a typical Andean

Los relatos que componen la presente antología corresponden a diez cuentistas ecuatorianos nacidos entre los 40 y los 50. Todos ellos, sobradamente conocidos en el escenario cultural del Ecuador, incursionaron en el terreno literario alrededor de los años 70 y en él han permanecido durante las dos últimas décadas como altos exponentes del relato nacional.

Conscientes del importante desarrollo que experimenta este género en el país con las numerosas contribuciones de quienes, por razones cronológicas, formarían parte de este grupo, los editores reconocen algunas ausencias. En este volumen no se ha buscado presentar una muestra completa, ni mucho menos definitiva, del quehacer cuentístico de una determinada promoción. Más bien, el criterio que ha prevalecido a la hora de elaborar esta selección ha sido un deseo de variedad, de amenidad.

Pensada especialmente para el lector no ecuatoriano, esta compilación bilingüe quiere facilitar una visión variopinta del Ecuador a través de algunos de sus cuentos contemporáneos. Quien se aventure por sus páginas encontrará desde una retrospectiva romántica que evoca los tiempos del pseudohippismo ecuatoriano en *La resaca*, de Pablo Cuvi, hasta la mojigatería y el provincianismo propios de una típica ciudad

city in THE SILENT FLIRTATION, by Jorge Dávila Vásquez of Cuenca. In THE ROUND, by Marco Antonio Rodríguez, they will be immersed in Quito's slums and there hear the argot of the defeated beings who reside in those areas. Readers will also get a glimpse of a Quito enveloped in mists, where rancor and pretense prevail, in Javier Vásconez's THE MAN WITH THE OBLIQUE GAZE, a story featuring a protagonist, photographer by profession, who tirelessly seeks an escape from the oppressive mountains. Equally as oppressive is the petit bourgeois family ambiance created by Abdón Ubidia in THE NIGHT TRAIN, a hallucinatory environment in which the female protagonist decides that she, too, must flee. In THE TRIPLE SOMERSAULT, by Iván Egüez, and ANA THE HUMAN BALL, by Raúl Pérez Torres, readers will be transported to the microcosm of the circus, marked by day to day misery, the empty glitter that comes with success, the oblivion and ingratitude that success itself generates, cruelty disguised as well-intentioned paternalism, in short, the bruising manner in which the tinsel of appearances overwhelms us.

The characters in THE BURIED AXE, by Iván Oñate, and OF TWO-HEADED BEINGS AND OTHERS, by Francisco Proaño Arandi, reveal themselves at a point somewhere between reality and dreams, a place where madness is born. Apparently overwhelmed by an overdose of the real, the protagonists of both tales attribute their conflicts, their doubts to the "darkness". Finally, the reader of these tales will get a glimpse of El Retiro Park in Madrid, and there witness the magical experience of two poor South Americans wandering through a place that feels hostile to them in THE MAN WITH ONE HAND ON HIS BREAST by Jorge Velasco Mackenzie.

Though it is up to the reader to form an overall impression after reading these TEN STORIES FROM ECUADOR, it is evident that one theme present in all the stories is a species

andina en *El coqueteo,* del cuencano Jorge Dávila Vázquez. Podrá sumergirse en los barrios marginales de Quito y apreciar la jerga de sus derrotados habitantes cotidianos en *La vuelta*, de Marco Antonio Rodríguez. Advertirá, por otra parte, un Quito enmarcado por la niebla en el que reinan la simulación y el rencor, en *El hombre de la mirada oblicua*, el cuento de Javier Vásconez cuyo protagonista (un fotógrafo) no deja de buscar vías de salida entre las montañas opresoras. Tan opresoras como el medio familiar pequeño-burgués que Abdón Ubidia nos dibuja en *El tren nocturno*, en cuya esencia alucinatoria decide escaparse su protagonista. No podrá menos que reconocer en el microcosmos del circo, adonde nos transportan *El triple salto*, de Iván Egüez y *Ana, la pelota humana*, de Raúl Pérez Torres, las miserias de todos los días, la vacuidad de los oropeles que recubren el éxito, el olvido y la ingratitud que éste genera, la crueldad enmascarada en forma de un paternalismo bienintencionado, la contundencia con que nos deslumbra el brillo de las formas, en fin.

Vacilantes entre la realidad y el sueño, en ese lugar en que comienza a generarse la locura, se desenvuelven los personajes de *De bicéfalos y otros*, de Francisco Proaño Arandi, y de *El hacha enterrada*, de Iván Oñate. Como ahítos de tanta realidad, los protagonistas de ambos relatos conceden a lo «oscuro» la explicación de sus conflictos, de sus incógnitas. Finalmente, el lector de estos diez relatos se asomará al parque de El Retiro de Madrid para presenciar la experiencia mágica de dos sudamericanos pobres que deambulan en un medio que sienten hostil, en *El caballero de la mano en el pecho*, de Jorge Velasco Mackenzie.

Aunque al lector le corresponde la labor de quedarse con la visión de conjunto que le ofrecen estos *Diez Cuentistas Ecuatorianos*, resulta inevitable señalar, como hilo conductor, una especie de fracaso de sus personajes, de sus tentativas por asir lo tangible en un medio en el que, al menos los que

of failure to which the characters are doomed as they attempt to grasp something tangible in circumstances that, at least for those of us who are not Ecuadorians, seem to be evanescent, undulating in a persistant ambiguity as obstinate as the powerful weight of the mountains.

María del Carmen Fernández

no somos ecuatorianos, percibimos como evanescente, ondulante en una persistente ambigüedad tan empecinada como el poderoso peso de sus montañas.

María del Carmen Fernández

Cuentos
Short Stories

The Undertow

Pablo Cuvi

To tell the truth, I had been plagued for some time by dark, stormy dreams and by rude awakenings at dawn that left me sweating, panting, with empty hands and a dry mouth. The only tangible traces of the night were wet sheets and the pounding, still strong, of the waves exploding in frothy bursts against the rocks by the slaughterhouse as I swam frantically, without knowing why, against my will, toward the mast of the grounded motor sailer sticking up out there, in the middle of the bay, whitewashed by seagull droppings. Sometimes the sea was innundated with light and the waves broke softly on the endless beach, and then a hand touched my back, but when I turned to look everything before my eyes dissolved the way the film used to melt during Sunday matinees at the Capitol Theater when something crucial was about to happen.

As I slipped from the dream into the half-light of my room, an old poster stared at me from the wardrobe door, Sue Lyon with her sweet lasciviousness in black and white, as though insisting that something was about to happen here too, on this side of the screen because, as everyone knows, a desire disguised goads life on to

La resaca

Pablo Cuvi

La verdad es que me asediaban desde tiempo atrás oscuros y tumultuosos sueños, y bruscos despertares en la madrugada, que me dejaban sudoroso, jadeante, con las manos vacías y la boca reseca. Los únicos rezagos palpables de la noche eran las sábanas mojadas y el golpe todavía sordo del aguaje que estallaba en ramalazos de espuma contra las rocas del camal mientras yo nadaba desesperadamente, sin saber bien por qué, en contra de mí mismo, hacia el mástil del motovelero hundido que sobresalía allá, en medio de la bahía, blanqueado por el excremento de las gaviotas. A veces el mar se anegaba de luz y las olas rompían suavemente en una playa sin límites, hasta que una mano me llamaba por la espalda y yo volteaba a ver y todo se quemaba ante mis ojos tal como se quemaban las películas en la matiné del domingo, en el Teatro Capitol, cuando estaba por pasar algo crucial.

Resbalando del sueño a la penumbra de mi cuarto, un viejo poster de Sue Lyon me miraba quedamente desde la puerta del armario con su dulce lascivia en blanco y negro, como insistiendo en que algo iba a pasar acá también, de este lado de la pantalla, porque cualquiera

take the road foretold in movies or in dreams, just as the muffled sirens of the boats that set sail at nap time burst into the sleeper's mind, calling him from the shadows to defy the sea.

But when Julio put a sheaf of legal papers on the table in my room and with an air of disdain informed me that I had to go to the port, I felt as though I had gone back to sleep and that someone, a force more intimate and powerful than he, was laying a trap for me in the dream.

As usual in those abhorrent days, I was awake since dawn. Though the metallic banging of pans against concrete laundry tubs and female voices ascending from the building's interior patio hurried the morning along, I stayed in bed with a bitter taste in my mouth. Just a moment earlier I had stupidly reached for the plastic cup I'd put on the shelf the night before, and taken a swallow of the coffee as slimy and cold as the nose of a dog. Now I lit a cigarette and waited for the sharp smoke of the black tobacco to erase that blunder from my tongue, just as I heard, through the plywood that divided the old parlor of the colonial home into four rooms rented to tenants, the unmistakable voice, grave, reserved for the future of mankind, taking the trouble to ask the seamstress next door about me. It was the first time Julio came looking for me at my fragile refuge; I realized that it would also be the last, but feeling embarrassed suddenly, I got out of bed. I hurried into a pair of jeans and had time to shove the *Psychodelic Review* I had been reading into a table drawer before he knocked for the third time at the pane of glass in the door.

"It's open," I said without expression.

Too late, I remembered the roach crushed in the

sabe que un deseo enmascarado instiga a la vida a recorrer el camino previsto en el cine o en los sueños, del mismo modo como la sorda sirena de los barcos que zarpan a la hora de la siesta irrumpe en la cabeza del durmiente llamándolo en sombras a desafiar al mar.

Sin embargo, el momento en que Julio depositó sobre la mesa de mi cuarto un legajo de papeles judiciales y con aire despectivo me informó que debía viajar al puerto, tuve la sensación de que me había vuelto a dormir y alguien, una fuerza más íntima y poderosa que él, me estaba tendiendo una trampa en el sueño.

Como era usual en aquellos días detestables, me hallaba en vela desde el alba. Aunque el choque metálico de los trastos en la piedra de lavar y las voces femeninas que ascendían del patio interior de la casa apresuraban el avance de la mañana, yo permanecía echado en la cama con un gusto amargo en la boca. Un rato antes había cometido la torpeza de alargar el brazo hasta el vasito plástico de la repisa y beber un sorbo del café amanecido ahí, babeado y frío como la nariz de un perro; ahora terminaba de encender un full y aguardaba que el humo áspero del tabaco negro me borrase de la lengua ese malentendido, el momento en que escuché, a través del plywood que dividía en cuatro piezas de alquiler un antiguo salón de la casa colonial, esa voz inconfundible, grave, reservada para el futuro de la humanidad, tomándose la molestia de preguntar por mí a la costurera vecina. Era la primera vez que Julio venía a buscarme a mi frágil reducto; supe también que sería la última, pero un repentino pudor me levantó del lecho. Me puse velozmente el blue-jean y tuve tiempo de ocultar en el cajón de la mesa la *Psychodelique Review* que andaba leyendo antes de que golpeara por tercera vez el vidrio de la puerta.

cover of a Nivea jar that doubled as an ashtray, there, next to my sandles on the mud-stained floor. Julio placed the file on the table and now he was talking to me about rights and duties (their rights, my duties); if he saw the weed, if he managed to identify the scent of "artificial paradises" that sullied the ancestral home converted into a tenement, he would simply take this as confirmation of the low view in which he held my conduct. (Artificial paradises at this stage, when a joint affected me less than a rereading of *The Origins of the Family, Private Property and the State,* the work of a well-to-do nineteenth century Teutonic businessman, destined to expiate, historically, his guilt and to verify, if memory serves, that the bourgeoisie of his period took great pleasure in cuckolding one another.) Delighted with his echoing voice, Julio waxed eloquent. He repeated that a petit bourgeois anarchist-loner-hippie such as I patently was had, at the very least, an obligation to make amends for damages inflicted on The Cause. I gazed at him in silence: standing under the weak sunlight that filtered in through the yellow sheet of fiberglass on the roof and sharpened his hawk-like profile, he looked like a Creole icon on a science fiction urn, an Orthodox priest dressed in olive gabardine for whom reality served only insofar as it reaffirmed his dogmas.

"What house are you talking about?" I asked vaguely when the harangue was over.

"This one," he replied, opening the file as though the house were folded up in there and would emerge, popping out as they do in books of fairy tales. "The famous inheritance that was going to back us up, remember?"

–Está abierta—dije con tono neutro.

Demasiado tarde recordé la chicharra de hierba aplastada en la tapita de Nivea que fungía de cenicero en el piso manchado de barro, junto a las sandalias. Julio había dejado la carpeta de papeles sobre la mesa y ahora me estaba hablando de derechos y deberes (derechos de ellos y deberes míos); si descubrió la hierba, si logró identificar ese aroma de «paraísos artificiales» que mancillaba la casa solariega transformada en conventillos, debió pensar que eso ratificaba simplemente la pobre idea que tenía de mi conducta. (Paraísos artificiales a esas alturas, cuando un vareto me hacía menos efecto que una relectura de *El origen de la familia, la propiedad privada y el estado,* obra de un acomodado empresario teutón del siglo XIX, destinada a expiar históricamente sus culpas y a constatar, si la memoria no me es infiel, que los burgueses de su época obtenían gran placer cuerneándose entre ellos). Encantado por el eco de su voz, Julio abundaba en adjetivos. Repetía que un pequeño burgués anarquista, francotirador y hippy como era yo a ojos vista estaba por lo menos en la obligación de reparar los perjuicios infligidos a la Causa. Yo lo contemplaba en silencio: parado bajo la débil luz solar que se filtraba por la plancha amarilla del techo y agudizaba su perfil aguileño, parecía un ícono criollo en una urna de ciencia-ficción, un pope con gabardina verde-olivo a quien la realidad le servía solo en la medida en que ratificaba sus dogmas.

—¿De qué casa me estás hablando? —le pregunté vagamente cuando finalizaba su arenga.

—De ésta —replicó abriendo la carpeta como si la casa estuviese plegada allí y debiera surgir desdoblándose al estilo de los libros de hadas—. La famosa herencia

"Yes, but that house was lost, it was only a..."

He cut me off. "Here are the papers from the courts. Get in touch with Zavala."

"*Licenciado* Zavala?"

"That's right. We are merely interested in restitution of the funds you squandered on that fucking festival."

So, for their benefit, I was supposed to recover the house I grew up in, doing so with the aid of Zavala, that old tango-loving lush who made a living forcing us to memorize ancient history until the priests discovered that, instead of Saint John Bosco, the portrait hanging over his bed was Stalin in sepia tints. It was too farfetched. There was something more behind this.

Falling back on a childhood reflex, I sat down on the bed. "And who said I wanted to travel?" I heard myself ask in a strange voice, dispirited, as I examined the dregs in the coffee cup and debated whether to drink the rest of it or to wipe it on his olive gabardine which still displayed a little number from One Hour Martinizing stapled to the buttonhole.

By way of response he merely flashed the beatific smile that kind persons bestow on lunatics, cripples, and orphans. To the smile he added some one-hundred-sucre bills, threw a contemptuous glance at the grass in the Nivea jar, and left without saying goodbye.

I spent a long time looking for a way out. I thought about rejecting the imposition flat out. It was a question of dignity: Clearly, all that tied me to them was a dubious economic obligation and mutual resentment left by the struggle to reach an impossible world. In the room next to mine, the seamstress tuned in to the twangy rerun of an installment of Porfirio Cadena, the

que debía respaldarnos, ¿no te acuerdas?

—Sí, pero esa casa está perdida, era sólo una...

Me cortó en seco: —Aquí están los papeles del juicio. Ponte en contacto con el licenciado Zavala.

—¿El licenciado Zavala?

—El mismo. Lo único que nos interesa es recuperar los fondos que despilfarraste en ese festival de mierda.

Así que yo debía recobrar para ellos la casa de mi infancia, ayudado por el licenciado Zavala, ese tanguero viejo que se ganaba la vida haciéndonos aprender de memoria Historia de la Antigüedad hasta que los curas descubrieron que, en lugar de San Juan Bosco, el licenciado tenía en la cabecera de la cama un retrato en sepia de Stalin. Era demasiado absurdo. Algo había detrás.

Movido por un reflejo infantil me senté en el lecho. «¿Y quién dijo que quería viajar?», oí que le preguntaba con voz ajena, cabizbajo, al tiempo que examinaba la borra del café y dudaba entre bebérmela del todo o untarla en su gabardina verde-olivo, que exhibía en un ojal el numerito engrampado de One Hour Martinizing.

Por toda respuesta me dirigió esa sonrisa beatífica que otorgan las buenas gentes a los orates, a los tullidos y a los niños huérfanos. A la sonrisa añadió algunos billetes de cien sucres, echó un vistazo despectivo a la lata de Nivea donde estaba la hierba y partió sin despedirse.

Intenté largamente buscar una salida. Pensé en rechazar de plano la imposición por motivos de dignidad: en definitiva, sólo me ataba a ellos una dudosa obligación económica y el resentimiento mutuo que deja la lucha por un mundo inalcanzable. En la pieza de al lado la costurera sintonizaba el gangoso reprisse del capítulo de Porfirio Cadena que escuchara la noche anterior. La atmósfera doméstica se iba cargando de olores a sopa y

same one she had listened to the night before. The domestic air gradually filled with the odor of soup and fried onions. Someone pulled the chain on the communal toilet. To stay or to leave, same difference.

Four or five hours later I found myself submerged in the fog of Tatatambo. The Reina del Camino bus glided blindly along the washed alphalt descending to the coast. Beyond the mist-covered windows, I could barely make out the edge of the ravine, sharp curves hugging mossy jutting rocks, muffled, diffuse headlights of still distant trucks climbing the river of lava like heavy barges that seemed to float in the fog, their horns blowing from time to time for no apparent reason. Sitting at the back of the bus next to a man wearing a felt hat that smelled of dung, I decided that, in the end, there had been no other alternative. Ergo, this must be the famous opening I had been dreaming about.

At sunset, divested of mist, the Reina del Camino moved freely along the coastal plain, through vast banana plantations and symmetrical palms, past concrete block houses and the last roadside shops, and entered the mountains of Manabí. The man in the filthy felt hat no longer slept with his head turned my way; he had probably got off at some unknown town as anonymous as he. A little later the sun fell in silence behind the crowns of scattered castor oil trees and the solitary royal palms that rose up in the middle of pasture lands high on the hills. Someone was burning lignum vitae to drive away the mosquitoes and the fragrant smell of the wood flooded the pastures and mixed with the warm evening air. The bus stopped at an obscure turn in the road. Two men dressed in white, with saddlebags over their shoulders and machetes tucked in

a refritos. Alguien jaló la cadena del excusado común. Daba lo mismo quedarse que partir.

Cuatro o cinco horas después me hallaba sumido en la neblina del Tatatambo. El Reina del Camino se deslizaba ciegamente por el asfalto lavado que bajaba a la costa. Más allá de los vidrios empañados se distinguían apenas el filo del barranco, las curvas repentinas ceñidas al musgoso farallón de piedra, los faros sordos y difusos de los camiones aún lejanos que parecían venir flotando entre la bruma, pitando a veces sin sentido, remontando como pesadas barcazas el río de lava. Sentado en el fondo del bus, junto a un hombre de sombrero de fieltro que olía a majada, pensaba que en el fondo no había alternativas. Ergo, ésta debía ser la famosa brecha que andaba soñando.

Al atardecer, despojado ya de la neblina, el Reina del Camino corría libremente por la llanura costeña, atravesaba las extensas bananeras y los palmares simétricos, rebasaba las casas de cemento y los últimos talleres al borde del asfalto, se adentraba en la montaña manabita. El hombre del sombrero mugroso de fieltro ya no dormía con la cara vuelta hacia mi lado; debió quedarse en algún pueblo inadvertido, anónimo como él. Poco después el sol caía en silencio tras las copas aisladas de las higuerillas y las palmas reales que se erguían solitarias en medio del alto pasto de las lomas. Alguien estaba quemando palo santo para ahuyentar a los mosquitos y la fragancia de la madera inundaba los potreros y se mezclaba con el aire tibio del anochecer. El bus se detuvo en una oscura curva del camino. Subieron dos hombres vestidos de blanco, con alforjas al hombro y machetes al cinto. De pie en el pasillo la pareja de montubios continuó hablando a viva voz de peleas de gallos, de es-

their belts, got on. Standing in the aisle, the *montubios* continued talking in excited voices of cockfights, sharp spurs, and lethal wounds. The younger one, a bettor with flushed cheekbones who made the rounds of the district's rings, was offering his partner a tidy sum for the celebrated ash-colored cock they were discussing. Night engulfed us. Leaning against the window, watching the fleeting splendor of vehicles traveling in the opposite direction, I remembered reading somewhere that by flying at a speed approaching that of light a man can travel to his own past, retracing in a space ship the river of time.

The Reina del Camino parked finally at the curb in front of the company's terminal office, across from the boxy grey town hall. Numb from the long trip, with the buzz of the engine in my ears, I took my jacket from the overhead rack, threw the bag containing the papers over my shoulder, and stumbled off the bus. On a corner in the park, the luminous clock marked 11:15 p.m. and there were very few people in the street. Every now and then a salty breeze blew in from the bay.

I walked aimlessly through streets strange and unconvincing at first because in my mind I carried the original map of the port I grew up in, where waves crashed furiously against the walls of the park, and water ran through the ground floor of the customs house and an arm of the sea encircled La Sirena cookie factory. Now the artificial esplanade along the breakwater ventured into the sea's territory, forcing a retreat. I don't know how long I wandered past entryways, peering into old houses, but I know that I didn't have the courage to go down the Nun's Hill and approach my old barrio. As soon as the walls of reality and the roofs of

puelas filudas y heridas letales. El más joven, un apostador de pómulos febriles que rondaba los palenques de la comarca, le estaba ofreciendo a su compadre un dineral por el mentado gallo cenizo. Nos hundíamos en la noche. Arrimado al vidrio de la ventana, mirando el resplandor fugaz de los vehículos que pasaban en dirección contraria, recordé haber leído en alguna parte que volando con una rapidez cercana a la luz un hombre puede viajar en su propio pasado, puede remontar en una nave espacial el río del tiempo.

El Reina del Camino se estacionó definitivamente en la vereda de la oficina terminal de la compañía, frente al bloque gris del Municipio. Amortiguado por el largo viaje, con el zumbido del motor en los oídos, recogí mi chompa de la parrilla, me eché al hombro el bolso con los papeles y descendí del bus. En la esquina del parque el reloj luminoso marcaba las 11 y 15 de la noche y había muy poca gente en la calle. Una brisa salada soplaba a ratos desde la bahía.

Caminé sin rumbo fijo por calles recelosas y extrañas a primera vista ya que traía en la memoria el mapa original del puerto de mi infancia, donde las olas golpeaban furiosamente contra los muros del parque y el agua corría por los bajos de la Aduana y un largo brazo de mar envolvía a la fábrica de galletas La Sirena. Ahora, la explanada artificial del malecón se aventuraba en los terrenos del mar, obligándole a retroceder. Ignoro cuánto tiempo deambulé por los portales rastreando las viejas casas, pero sé que no tuve el coraje de bajar por la loma de las monjas y aproximarme a mi antiguo barrio. El momento en que las paredes de la realidad y los techos de zinc y el rumor incesante de las olas empezaron a coincidir con el decorado obsesivo de mis sueños,

zinc and the incessant murmur of the waves began to correspond to the obsessive decor of my dreams, I sought refuge in a cheap, two-story hotel overlooking the bay, there, where I knew the white mast of the motor sailer emerged from the shadows since it ran aground with its cargo of tagua the very day they baptized Ligia, according to information I picked up years later. Contrary to my fears, now that I had made it through the first door of the walled city I slept soundly, like a fugitive who has returned home.

But to what had I really returned? In the morning I felt no desire to look for Zavala, nor did I want to face persons and red tape I suspected would be futile. I opted instead (at least at the time I still believed that I opted) to head for the beach. At the docks stevedores carrying sacks of flour on their heads, like turbans protecting them from the sun, sucked at flakes a vendor scraped from a block of ice and soaked with bright syrups.

Beyond the breakwater stretched the brilliant, deserted El Murciélago beach swept by light gusts of white sand. I shed shirt and shoes and walked along the shore feeling the moist sponge of the sea under my feet. Because it was a week day, there wasn't another soul on the beach. The sun scorched the air and burned my neck. Almost without realizing it, I had stopped to drift with the incessant comings and goings of the waves at the same point from which, as a boy, I dreamed of taking off. Blinded by the water's brilliance, I closed my eyes for a moment. And then I felt, I swear I felt again, a playful slap on my back, and heard the same flirting laugh.

Slowly, very slowly as always, I turn around: it's she, of course, it's Ligia, wearing her first grown-up

busqué refugio en un hotelucho de dos pisos que miraba a la bahía, allá donde yo sabía que emergía entre las sombras el blanco mástil del motovelero hundido con su cargamento de tagua el mismo día en que bautizaron a Ligia, según la información que obtuve años más tarde. Al contrario de lo temido, ahora que había cruzado la primera puerta de la atávica ciudad amurallada dormí profundamente, como un fugitivo que ha vuelto a casa.

¿Pero a qué había vuelto en realidad? Por la mañana no tenía ganas de buscar al licenciado Zavala, ni quería enfrentarme con personas y trámites que sospechaba inútiles. Opté más bien (en ese rato al menos yo aún creía que optaba) por dirigirme a la playa. En el malecón, algunos estibadores que llevaban en la cabeza sacos de harina a manera de albornoces contra el sol, chupaban los prensados que el vendedor raspaba de un bloque de hielo e iba bañando con esencias de colores.

Más allá del rompeolas se extendía la playa desierta y resplandeciente de El Murciélago, barrida por leves ráfagas de arena blanca. Me despojé de la camisa y los zapatos y caminé por la orilla sintiendo bajo los pies la esponja húmeda del mar. Era un día entre semana y no había un alma en la playa. El sol calcinaba el aire y me quemaba la nuca. Casi sin advertirlo me había detenido a divagar con el vaivén incesante de las olas en el mismo punto en donde, muchacho aún, soñaba con partir. Herido por el fulgor del agua cerré un momento los párpados. Y entonces sentí, juro que volví a sentir, el chirlazo juguetón de una mano en la espalda y la misma risa coqueta.

Lento, muy lento como siempre, giro sobre mí mismo: es ella, claro, es Ligia, estrenando su primer bikini de mujer. Tiene la piel bronceada y el pelo tostado por

bikini. Her skin is tanned and her hair bleached by sun and iodine from so much sea, but the face, still innocent, almost childish, seems unacquainted with her new body. With a mocking gesture, she dares me to chase her over the sand. It's a game we all play, the kids who hang out on the beach, and because I'm stronger than Ligia I usually end up tackling her. Sometimes she lands a low blow with her knee and runs away, laughing, until I catch her again and, to get back at her for her fickle trick, I put sand in her mouth. Then she gets furious, insulting me and promising revenge. But today she slips away nimbly among the overturned dugouts and the mended nets and runs toward the caves on the point. Because I've stepped on a sharp shell I can't get any speed up, so I hide behind a rock, and when she turns to look for me I take her by surprise. "Cheater!" she says, panting from the effort, "That's not fair". She doesn't move under my arms, her back on the ground. The rough texture of the bikini contrasts with the smoothness of her sweat-drenched skin. I'm about to let her go when in her eyes I see the impish glimmer that gives away an imminent low blow. But the blow that lands is timid, softened, different. And there, hovering at the hazardous border of childhood, as at the edge of an abyss, I feel an odd dizziness, a sensation I've never felt since.

I don't know at what point we began to kiss. Nor could I identify who played the role of snitch. Because it no longer matters who raised the cry, it never did, really, it could have been, and probably was, just anybody, but for years I carefully nursed the notion that it was Fatso Plaza who discovered us and ran to tell Ligia's mama that she was kissing me on the beach. All

la sal y el yodo de tanto mar, pero la cara todavía ingenua, casi infantil, parece desconocer su nuevo cuerpo. Con un gesto burlón me desafía a perseguirla por la arena. Es un juego común entre todos los chicos que frecuentamos la playa, aunque siendo yo más fuerte que Ligia usualmente termino derribándola al suelo. A veces ella me da un golpe bajo con la rodilla y escapa riendo, hasta que vuelvo a atraparla y en castigo por su truco desleal le meto arena en la boca. Entonces ella se pone furiosa, me insulta y amenaza vengarse. Pero hoy se escabulle ágilmente entre los bongos echados boca abajo y las redes remendadas y corre hacia las cuevas de la punta. Yo, que he pisado una concha puntiaguda, no puedo acelerar, de modo que me oculto tras una roca y cuando ella vuelve a buscarme la tomo por sopresa. «¡Tramposo!», me dice jadeando por el esfuerzo, «así no vale». Se ha quedado inmóvil bajo mis brazos, de espaldas al suelo. El áspero roce del bikini contrasta con la tersura de su piel cubierta de sudor. Me dispongo a soltarla cuando veo en sus ojos el brillo pícaro que delata la inminencia de un golpe bajo. Mas el golpe viene amortiguado, tímido, distinto. Y ahí, apoyado en el azaroso límite de la niñez como al borde de un abismo, tengo una extraña sensación de vértigo que no he vuelto a sentir jamás.

No sé en qué rato comenzamos a besarnos. Ni podría atestiguar tampoco a quién le correspondió el sucio papel de delator. Porque ahora ya no tiene importancia saber quién dio la voz de alarma, nunca la tuvo en realidad, podía y debía ser cualquiera, pero durante largos años acaricié con esmero la sospecha de que fue el gordo Plaza quien nos descubrió y corrió a avisarle a la mamá de Ligia que ella se estaba besando conmigo en la playa.

I know for certain is that an enraged hand yanked me by the hair and brutally slapped the girl crouching among the boulders, calling her a whore with each blow, shoving her away, sealing Ligia's future revenge, pushing her forgiveness beyond reach. I also know that I could have protected her and didn't, frightened by the mother's hysteria and continuous threats from her older brother.

A ship from the Grancolombia line weighing anchor, en route for Buenaventura, sounded its siren. The heat let up some. Ancient carobs and the orange flowers of acacia bushes were visible on the hill. The walls were still covered with the bougainvillaeas' dusty blush. Fighting a temptation to approach the neighborhood where the house stood and ask about Ligia, I told myself that no doubt she too had escaped from the town and that I'd had enough of this nostalgia and sundrenched remorse. I went looking for Zavala at the high school where he worked now, but a diligent secretary told me that he had gone to take care of some matter at the Social Security Clinic, and could she help me with something. No, definitely not. I spent the rest of the afternoon sitting, on a bench on the breakwater, smoking and trying not to think about anything. I recognized some familiar faces, clean shaven, their white shirts immaculate, healthy-looking individuals apparently unscathed by time thanks to the pure sea air. But they gave no sign of having recognized me. They saw me as one more hippie, bearded and long-haired and wearing boots made in Ambato. I went to the movies that night, but couldn't bear the thought of staying to the end of the stupid comedy with Alberto Sordi.

Yo sólo sé con certeza que una mano colérica me tiró de los pelos y abofeteó brutalmente a la niña agazapada entre las peñas, nombrándola puta a cada golpe, arrojándola fuera de sí, sellando la futura venganza de Ligia, su perdón inalcanzable. Sé también que pude haberla protegido y no lo hice, amedrentado por la histeria de su madre y por las amenazas continuas de su hermano mayor.

Un buque de la Grancolombiana que levaba anclas hacia Buenaventura hizo sonar la sirena. Aflojaba el calor. En las lomas se distinguían las flores anaranjadas de las acacias y los algarrobos añosos. Las paredes seguían cubiertas por el empolvado rubor de las buganvillas. Para no ceder a la tentación de aproximarme al vecindario de la casa y averiguar por Ligia, me dije que ella debió haber escapado también del pueblo y que ya bastaba de nostalgias y flagelos solares. Fui directamente a buscar a Zavala en el colegio mixto en donde trabajaba ahora, pero una secretaria muy agenciosa me informó que el licenciado había salido a realizar gestiones en la Clínica del Seguro, que si podía ayudarme en algo. No, imposible. Dejé pasar el resto de la tarde fumando en una banca del malecón y tratando de no pensar en nada. Había reconocido algunos rostros familiares, afeitados, rozagantes, con las camisas inmaculadas, como si el aire puro del mar los preservara del tiempo. Ellos, en cambio, no daban señales de haberme identificado. Me veían como a un hippy más, con barbas, pelo largo y botas ambateñas. Por la noche entré al cine, pero no pude soportar hasta el final una comedia estúpida de Alberto Sordi.

El malestar iba en aumento: dados los pasos iniciales, desatada la trama del recuerdo, no tenía nada de ex-

Anxiety mounted: given the initial steps, the unleashing of memory's plot, it was not at all strange that I should run into Fatso Plaza. In fact, it was absolutely logical that he be standing on the corner near my hotel at eleven in the morning, looking like a starched sailboat in his white shoes and embroidered *guayabera.* I stepped back to avoid being seen, hoping to dodge the inevitable meeting, but two women loaded with packages blocked the entrance. I fully intended to attempt a smile when Plaza wrapped me in a delighted hug. "You don't fool me with that hippie get-up", he said, giving me a few reproachful slaps on the back. "And you don't fool Ligia either. She told me you were around."

For the first time I felt ridiculous, vulnerable. While I was playing at being the traveler returning incognito to the port he had grown up in, she had been watching me, and she used Fatso to let me know. (Though I may have exaggerated the importance of that moment: it was too logical, exactly what I wanted to happen.) Unaware of my musings, Fatso took me by the arm to the Italian's bar and ordered two cold beers and a pack of Luckies just for me since he smoked filtered cigarettes. The yellow and green Panagra poster was still pasted to the far wall, and over the shelf containing empty chianti bottles hung the same photo of the Bay of Naples, faded now because the Italian's gaze kept returning to it whenever nostalgia caught up with him.

"What's new around here?" I asked, to escape the tedious interrogation he was subjecting me to.

So Fatso gave a general report of our classmates, the marriages, the deaths, the foolish goings on in the port and its brothels. After we finished off half a case,

traño que me topara con el gordo Plaza. Al contrario, era absolutamente lógico que el gordo estuviese parado a las 11 de la mañana con guayabera bordada y zapatos blancos, como un velero almidonado, en la esquina del hotel. Retrocedí antes de ser visto, quise eludir vanamente un encuentro inevitable, pero dos señoras cargadas de paquetes bloqueaban la salida del portal. Tuve el buen ánimo de esbozar una sonrisa cuando el gordo me envolvía en un abrazo feliz. «A mí no me engañas con esa parada de hippy», añadió con unas palmaditas de reproche en el hombro. «Ni a Ligia tampoco. Ella me avisó que andabas por aquí.»

Por primera vez me sentí ridículo, desamparado. Mientras yo jugaba al viajero incógnito que vuelve al puerto de su infancia, ella me vigilaba y se valía del gordo para informármelo. (Aunque tal vez exageraba ese momento: era demasiado lógico, era exactamente lo que yo habría deseado). Ajeno a la especulación, el gordo me llevaba del brazo al salón del italiano y pedía dos cervezas heladas y una cajetilla de lucky para mí porque él fumaba con filtro. En la pared del fondo continuaba pegado el afiche amarillo con verde de Panagra, y sobre la repisa de botellas vacías de chianti colgaba la misma foto de la bahía de Nápoles, borrosa ya de tanto que la miraba el bachiche cuando lo alcanzaba la nostalgia.

—¿Qué hay de nuevas por aquí? —le pregunté para eludir el tedioso interrogatorio al que me estaba sometiendo.

Entonces el gordo me presentó un informe general de los compañeros de colegio, de los matrimonios, las muertes, los necios avatares del puerto y sus burdeles. A la altura de la media jaba, cuando yo me ausentaba en el humo de los luckies recién saltados de a bordo y

as I absented myself in the smoke from the black-market Luckies recently smuggled in and the cancerous buzz of a 78 devoured half the throat of Tito Schippa singing a frightful operetta, Fatso repeated for the third time that Ligia was still single. I gave into an evil impulse and suggested that he marry her. He wasn't able to hide a pained, convulsive grin. He remained silent, going over in his mind some unpleasant image. Then he assumed a natural pose. "She's not my type," he said. Now he smiled, sweating heavily, looking indecisively at the beer bottles. A waiter, sporting a greasy pompadour, emptied the ashtray in a corner and dried the table with a stained rag. Fatso told him to bring a half-bottle of Ballantines, ice, mineral water, and to tell the dago to get rid of the goddamn noise and put something else on.

"Why did you come back?" he insisted.

"I still don't know," I answered frankly, not mentioning the house, an easy excuse, just as the Italian dropped the arm with its Roman needle on the first sobbing bars of Jealouzy.

The following hours were gloomy ones. I was drunk when Fatso left me at the hotel; he wanted to take me whoring but I flatly refused. Now, with the liquor seeping into my bones, I contemplated my feet, amputated by the edge of the sheet, pale, distant, as though they belonged to someone else. My cowardice during the scene with Ligia on the beach loomed intolerably large, and despair circled me like a famished beast, in search of a victim in order to reify itself and thus go on living.

At times I had an urge to look out the window, but the pane had changed into a suffocating canvas painted in oils, with a flat, vertical sea like an illustration, and

el zumbido canceroso de un disco de 78 se devoraba media garganta de Tito Schippa en una opereta de espanto, el gordo repitió por tercera vez que Ligia seguía soltera. Me dejé llevar por la maldad y le sugerí que se casara con ella. No pudo ahuyentar a tiempo un rictus de dolor. Permaneció en silencio repasando en su interior alguna imagen desagradable. Luego fingió naturalidad. «No es mi tipo», dijo. Ahora sonreía, sudaba copiosamente, miraba indeciso las botellas de cerveza. Un mozo de jopo a la glostora vació el cenicero en un rincón y secó la mesa con una franela manchada. El gordo le pidió media de Ballantines, hielo, mineral, y que le dijera al bachiche que cambiara ese ruido de mierda.

—¿A qué volviste?—insistió.

—No sé todavía —respondí francamente, pasando por alto el fácil pretexto de la casa, al tiempo que el bachiche dejaba caer sobre el primer requiebro de Jealouzy la aguja roma del pick-up.

Siguieron horas sombrías. El gordo me había dejado borracho en el hotel; pretendió llevarme a cabaretear pero me negué rotundamente. Ahora, instalado en la resaca de los huesos contemplaba mis pies amputados por el filo de la sábana, pálidos, lejanos, como si pertenecieran a otro. Mi cobardía ante Ligia en la escena de la playa iba asumiendo una dimensión intolerable, y la angustia me rondaba como una fiera hambrienta que buscara una víctima para reificarse, para subsistir.

A ratos quería mirar por la ventana, pero la ventana se había convertido en un asfixiante lienzo pintado al óleo, con el mar vertical y plano como una lámina y el mástil del motovelero hundido surgiendo en el cielo raso sin ninguna perspectiva, un falo descomunal coronado por el excremento blanco de las gaviotas que volaban a

the mast of the motor sailer appeared out of perspective on the ceiling, a monstrous phallus crowned with white excrement dropped by the seagulls that circled or perched lightly on the rusting remains of the rigging. From time to time a gust of wind shook the sheets and I saw my cut-off feet levitating in the shadows and ran to the window sill after that cloud of dust, and something inside me moaned like an abandoned bitch.

Why was Ligia still single? Why was she using Fats as a go-between? Maybe together we could wash away the offense and make up for lost time... I raved... At some point I stopped thinking about her, I loathed her, I gave her up for lost in the day-to-day misery of the town, and I decided to hold on to the illusion of the house. I took out the letter that my friend Julio had sent to Zavala and went to wait for him at the school entrance. When he appeared at last, wasted and bilious, I told him by way of introduction that I had been one of his students. He didn't recognize me. Nor did he care: He had seen too many students like me in the course of his life. Then I spoke to him of Julio and he invited me for coffee. He opened the envelope, smoothed the sheet of paper on the table, and read with obvious irritation; he shook his head and muttered the words, as though they were written in Arabic. He seemed to be very sick and his breath was noxious when he talked. After examining me boldly, he bent forward and asked, "Which of the two of you is mad?" He was a professor, he waited for a response. I opted for a blank smile while trying to guess what was coming. "That house was auctioned off a year ago. Doña Rosa, the woman who lived next door, bought it for her daughters."

Suddenly I was flooded by an unexpected feeling of

su alrededor, o se posaban quedamente en los herrumbrosos restos de la arboladura. A veces un manotazo de viento sacudía las sábanas y yo veía a mis pies cercenados que levitaban en la penumbra y corrían por el alféizar de la ventana tras esa nube de polvo, y alguien gemía dentro de mí como una perra abandonada.

¿Por qué Ligia permanecía soltera? ¿Por qué me buscaba a través del gordo? Tal vez podríamos juntos lavar la afrenta y recobrar el tiempo perdido...Deliraba...En cierto momento dejé de pensar en ella, la abominé, la di por perdida en la miseria cotidiana del pueblo y opté por aferrarme a la ilusión de la casa. Tomé la carta que le enviaba el compañero Julio al licenciado Zavala y fui a esperarlo en la puerta del colegio. Cuando por fin apareció, demacrado y bilioso, le dije a manera de presentación que había sido alumno suyo. No me reconoció. Ni tampoco le importaba: había visto demasiados alumnos como yo en su vida. Entonces le hablé de Julio y me invitó a tomar un café. Rasgó el sobre, alisó la hoja en la mesa y la fue leyendo con muestras evidentes de fastidio; sacudía la cabeza y mascullaba las palabras como si hubiesen estado escritas en árabe. Parecía muy enfermo, exhalaba un aliento nocivo al hablar. Luego de examinarme con absoluto descaro se inclinó hacia adelante y preguntó:«¿Cuál de los dos está loco?». Era profesor, aguardaba una respuesta. Atiné a sonreír en blanco mientras olfateaba lo que se venía.«Esa casa fue rematada hace un año. La compró la señora que vivía al lado, doña Rosa, para sus hijas.»

De pronto me invadió una sensación insólita de tranquilidad, de piezas encajando en su sitio, de acertijos resueltos. Zavala adujo algún problema hepático o renal, se paró sin haber tocado el café y al salir dejó caer

well-being, of pieces falling into place, of riddles solved. Zavala, citing some liver or kidney problem, got up without having touched his coffee and, on leaving, dropped the inexplicable letter in the garbage. I wasn't interested then in figuring out the conscious or unconscious role played by Julio, because I felt myself called from the depths of a dream, from my own house where Ligia, my childhood neighbor, now lived.

That night I went to see her. A street light on the barrio's main corner drove the insects mad. The house, enveloped in the foliage of old trees on the other side of the stone wall, was exactly the same, with its marble-colored walls, green Venetian blinds, and the tin gutter that ran through the bougaenvillaeas down to the cistern in the patio. Only the almond trees had died. The air was quiet, the street deserted. I stood close to the wall and threw pebbles at the window of my old room. The dogs barked when the third proyectile bounced on the zinc garage roof. Half-hidden under an acacia that cascaded over the wall, I remembered a scene with Humphrey Bogart. So I looked for the precise angle from which the camera set up in the window would pick up the subtle contrast of milky light that levitated from the back of my neck and remained floating among the branches. Immediately afterwards, standing in profile, I slowly took out a cigarette and lit up.

Hope had begun to slip away when a body brushed lightly against the lamp shade and a hand made an ambiguous gesture, like a warning, like a dove fluttering at the half-open blinds. I hesitated. Maybe the role I'd chosen was wrong. But no: my friends sitting in the orchestra section in the Capitol Theater shouted: "Come on! Come on!," and they saw me swing lithe as

en la basura la carta incomprensible. A mí tampoco me interesaba ese instante dilucidar el papel consciente o inconsciente que había desempeñado Julio, porque me sentía llamado desde el fondo del sueño, desde mi propia casa, en donde ahora habitaba Ligia, vecina de mi infancia.

Esa noche fui a verla. En la esquina del barrio un foco municipal enloquecía a los insectos. Al otro lado del muro de piedra, envuelta en el follaje de los viejos árboles, la casa se mantenía exacta, con sus paredes de color marfil, las persianas verdes y el canalón de lata que bajaba entre las buganvillas hasta el aljibe del patio. Sólo los almendros habían muerto. El aire estaba quieto y la calle desierta. Me arrimé al muro para lanzar piedritas a la ventana de mi antiguo cuarto. Los perros ladraron cuando el tercer proyectil rebotó sobre el techo de zinc del garaje. Semioculto bajo una acacia que desbordaba al muro recordé una escena de Humprey Bogart. Entonces busqué el ángulo preciso para que la cámara instalada en la ventana aprovechase el tenue contraste de una luz harinosa que levitaba desde mi nuca y se quedaba flotando entre las ramas. Acto seguido, extraje lentamente un cigarrillo y lo encendí de perfil.

Empezaba a desesperar el instante en que un cuerpo rozó levemente la pantalla de la lámpara y su mano hizo un gesto equívoco, como una advertencia, como el aletear de una paloma por la persiana entreabierta. Dudé. Tal vez me equivocaba de actuación. Pero no: desde la luneta del Teatro Capitol los amigos me gritaban: «Come on! Come on!», y me veían bornear con la agilidad de una sombra el muro del patio, para caer agazapado en un macizo de chavelas, mientras ella descendía por la sigilosa escalera tapándose el sostén con una

a shadow over the patio wall and land, crouching in a bed of carnations as she descended the silent staircase, covering her bra with a sailor shirt, and pushed through the screen door and walked barefoot toward the garage, also sensing the silent moan of the barrio gang urging her to assume her role, my buddies cheering for me, convinced that in the final scene they would recover their steely gunslinger, his image cleansed, immune to tenderness and love, invincible in spite of everything.

"I saw you on the beach," Ligia said at last, her hard voice that of a woman, I no longer recognized, her hips larger maybe, a fleshier woman, the reflection in her lacustrian eyes muddied by a malignant passion. "I've been waiting for you, I knew you would come." She moved some cardboard boxes and pulled a familiar suitcase covered with dust from a hidden corner.

I delved into the movies again for the courage in black and white that my blood withheld, and reached to touch the hair that tumbled to her shoulders, but she turned away, furious, and I understood, astonished, that I wasn't the one who was moving the strings of the plot. There, in that dark cement garage, there were no hidden cameras, nor was there an audience of friendly accomplices: I was alone, stupidly alone, face to face with the resentment of a woman who had compromised every man in that town, taking revenge nurtured in silence from the time her mother locked her in the house and she complied with that sentence, didn't go to parties, she said, didn't have a boyfriend, until the baby shower given for her cousin Amalia who got married — Fatso was the witness— when she was already two months along, ha, that's when she saw in the pitying eyes of her former school mates that she was on the verge of

camisa de marino, y empujaba la puerta de malla metálica y caminaba hacia el garaje con los pies desnudos, percibiendo ella también el gemido sordo de la gallada del barrio que la instigaba a cumplir su papel, solidarios conmigo los panas, convencidos de que la escena final les devolvería purificada la imagen del pistolero de hierro, inmune a la ternura y al amor, invicto a pesar de todo.

—Te vi en la playa —dijo por fin Ligia con una voz dura de mujer ya desconocida para mí, más caderona quizá, más entrada en carnes, el reflejo de sus ojos lacustres enturbiado por una pasión maligna—. Te estaba esperando, sabía que vendrías. —Apartó unas cajas de cartón y sacó de un escondrijo una empolvada maleta familiar.

Recavé en el cine el coraje en blanco y negro que me negaba la sangre y fui alargando mi mano hacia el pelo volcado en sus hombros, pero ella se volvió enfurecida y comprendí con espanto que no era yo quien movía los hilos de la trama; allí, en ese oscuro garaje de cemento, no había cámaras ocultas ni espectadores cómplices: estaba solo, estúpidamente solo frente al rencor de una mujer que comprometía a todos los hombres del pueblo, en una sorda venganza incubada desde que su madre la recluyó en su casa y ella acató la sentencia, no iba a fiestas, dijo, no tenía enamorado, hasta el baby-shower de su prima Amalia, que se casó de dos meses y el gordo fue testigo, já, cuando vio en los ojos compasivos de sus ex-compañeras de colegio que se estaba quedando solterona y empezó a buscar secretamente un hombre que se la llevara del pueblo antes de que fuera demasiado tarde. Fue entonces cuando un barco yugoeslavo se quedó varado algunas semanas en el muelle y un marino peli-

becoming a spinster, and she began to search secretly for a man who would take her away from the town before it was too late. It was then that a Yugoslavian ship ran aground and spent a few weeks at the docks and a red-headed sailor who knew four words of Spanish ruined her one afternoon in his room, on his filthy cot, she said, promising glibly to return the following year.

It was winter that returned, a rainy winter plagued with insects, and among the insects, Zavala appeared. The professor worked in fatherly fashion on her vulnerability, gradually recruiting her for The Cause, which consisted of raising funds, printing flyers, and satisfying his twisted lust, until the donations destined for the Chilean resistence ended up in the hands of the midwife.

"That's enough!" I exclaimed, "I don't want to hear any more."

"Is that so?" Her body hardened with disdain, like an offensive weapon. "You want to preserve your town virgin too?" She opened the top buttons of the shirt, revealing the black lace of the bra.

The next one was Julio. Zavala, astute, had ceded the post, but Julio, completely in the dark, fell stupidly in love with her. He, the scientific materialist par excellence, fell in love with his own immaculate lie, with the archetype of his home. He came from Quito every two weeks for reasons so absurd that one was inclined to believe him. He didn't touch her; he wanted to marry her, she said, shoving the suitcase toward me. But when he finally heard about the Argentine soccer player, Julio had the irreparable audacity to demand the truth and here, in this very garage stained with grease, she introduced him to his ignominious hell, to her lewd list

rrojo que hablaba cuatro palabras de español la perdió una tarde en su reducto, en su puerca litera, dijo, con la promesa falaz de volver el año entrante.

El que volvió fue el invierno, un invierno lluvioso plagado de insectos, y entre esos insectos apareció Zavala. El licenciado trabajó paternalmente en su desamparo y la fue ganando para la Causa, que consistía en recoger fondos, levantar textos y dar cumplimiento a su retorcida lujuria, hasta que los óbolos destinados a la resistencia chilena fueron a parar en manos de la comadrona.

—¡Basta! —exclamé— no quiero saber más.

—¿Ah no? —El desdén templó su cuerpo como una arma ofensiva—. ¿Tú también quieres conservar a tu virgen de pueblo? —Desabotonó a medias la camisa, dejando al descubierto los encajes negros del sostén.

El próximo fue Julio. Astutamente Zavala le había cedido la posta, pero Julio, que lo ignoraba todo, cometió la torpeza de enamorarse. El, el materialista científico por antonomasia, se enamoró de su propia mentira inmaculada, del arquetipo de su hogar. Venía de Quito cada quince días con pretextos tan absurdos que daban ganas de creerle. No la tocaba; quería casarse con ella, dijo, empujando hacia mí la maleta. Pero cuando lo del futbolista argentino llegó finalmente a sus oídos, el compañero Julio tuvo la audacia irreversible de exigir la verdad y aquí, en este mismo garaje manchado de aceite, ella lo introdujo a su oprobioso infierno, a la impúdica lista de sus hombres.

—¿Le hablaste de mí también?

Asintió: —Eres el primero de la lista. Y también el último.

—Pero la historia de la casa...

—Fue idea mía. —Un resplandor demente acentuó

of men.

"Did you tell him about me too?"

She nodded. "You were the first on the list. And also the last."

"But the story of the house."

"That was my idea." A demented glow appeared in her eyes. "Pick up the suitcase."

I didn't have to ask what this was leading up to: It was all terrifyingly clear. I didn't even feel the weight of the bag in my hand: Maybe it was empty, or contained nothing more than a farewell letter. We left the garage and walked across the long earthen patio behind the house. It was the same path I followed time and again when, as a boy, I went down to the beach. They had cut down some trees and garbage had gathered against the tucuma fence. There was an abandoned air of sad desolation hovering in the shadows; it was evident that no one was taking care of the garden. Ligia lifted the wire that held the gate shut and walked barefoot through the sand dunes. A dark wind off the ocean blew her hair and lifted the shirt tails, uncovering her lower thighs from time to time. I considered flight, but it was too late. The headlights of a car turning in the distance glanced off the shadows of the deserted beach. We moved toward the crashing of the waves. Ligia stopped at the anticipated spot, among the same dugouts overturned on the sand. She removed the shirt and her underwear without a word and stood naked before me. I thought that she was going to take off running, the way we did during our childhood games (a smile, a gesture would have saved us) but there was no joy, no lust, only resentment in her bearing.

"Let's get out of this miserable town," I pleaded

su mirada—. Coge la maleta.

No hacía falta preguntar a dónde íbamos: todo estaba pavorosamente claro. Ni siquiera sentía el peso de la valija en mi mano: tal vez estaba vacía, o contenía solamente una carta de despedida. Abandonamos el garaje y enfilamos por el largo patio de tierra hacia la puerta trasera. Era el mismo trayecto que recorriera tantas veces de muchacho cuando bajaba a la playa. Habían talado algunos árboles y la basura se acumulaba contra la cerca de chonta. Se percibía entre sombras un aire de abandono, de desolada tristeza; era evidente que nadie cuidaba del jardín. Ligia zafó el alambre que juntaba las hojas de la puerta y avanzó descalza por las dunas de arena. Un viento oscuro que soplaba desde el océano le agitaba el cabello y levantaba las faldas de su camisa, descubriendo a ratos el nacimiento de sus muslos. Pensé en huir, pero ya era demasiado tarde. Los faros de un automóvil girando a lo lejos sesgaron la penumbra de la playa vacía. Nos aproximábamos al estruendo de las olas. Ligia se plantó en el sitio previsto, entre los mismos bongos acostados boca abajo sobre la arena. Sin decir palabra se fue despojando de la camisa y la ropa interior y quedó desnuda ante mis ojos. Creí que iba a echar a correr como en los juegos infantiles (una sonrisa, un gesto nos habrían salvado) pero no había alegría, ni lascivia, ni tan sólo rencor en su actitud.

—Larguémonos de este pueblo infeliz —le dije en tono de súplica.

—Eso vamos a hacer. Abre la maleta.

Quise cumplir su deseo pero la tapa no cedía fácilmente; debió permanecer cerrada mucho tiempo. Llevado por la ansiedad busqué una piedra e hice saltar los cerrojos: un vestido de novia que olía a naftalina se fue

with her.

"That's exactly what we're going to do. Open the suitcase."

I wanted to do as she asked but the lid refused to give way; it had probably been locked for a long time. In the grip of anxiety, I looked for a stone to force the locks: A bride's dress that smelled of moth balls spread between my clumsy hands like the banner of a lost cause. Ligia put the dress on with great care and turned her back to me so that I could fasten the little white flowers. Then she walked slowly toward the water. Almost without thinking, I undressed and ran after her. We held hands as we had when we were children, and faced the first waves. We had come to that point where, with a single misstep, the undertow became inescapable. I stopped and gazed at her ecstatic face vanishing in the water and then emerging amidst the white sails of dress. Then I approached her body and she wrapped her legs around my waist. We soon lost our footing; the undertow overpowered us. I never did understand what happened next: I know that I was prepared to drown with her, it was a wish I had long held, the only decent finale to our miserable lives, but a gigantic wave separated us violently. I searched for her blindly under the water, I shouted her name against the din of the tidal waves. Immersed in the most ancient of nightmares, the sea expelled me, returning me to life, though I longed to go back to the belly of the ocean. But that finale would have been too easy for one of Ligia's fiances; the hard part was to go on living, each of us with his revolting destiny: Julio, Zavala, Fatso, me.

I floated a long time, carried by the current; then I swam back to the beach. That same dawn I fled to

desplegando entre mis manos torpes como la bandera de una causa perdida. Ligia se puso el traje con mucha delicadeza y me volvió la espalda para que le abotonase unas florcitas blancas. Luego caminó lentamente hacia el agua. Casi sin pensarlo me desnudé y corrí tras ella. Tomados de la mano como cuando éramos niños, enfrentamos las primeras olas. Habíamos llegado a ese punto límite donde, al menor descuido, la resaca se torna irreversible. Me detuve y contemplé su cara de éxtasis hundiéndose y saliendo a la superficie del agua, entre el blanco velamen del vestido. Entonces me aproximé a su cuerpo y ella me enlazó la cintura con las piernas. Rápidamente perdimos pie; el remolino se apoderaba de nosotros. Nunca pude aclararme a mí mismo lo que pasó a continuación: sé que estaba dispuesto a hundirme con ella, lo había anhelado desde mucho tiempo atrás, era el único final decente de nuestras vidas miserables, pero una ola descomunal nos separó con violencia. La busqué a ciegas bajo el agua, grité su nombre contra el fragor del aguaje; inmerso en la más antigua pesadilla quise retornar al vientre del océano, pero el mar me expulsaba de vuelta a la vida. Ese era un final demasiado fácil para un novio de Ligia; lo duro era seguir viviendo, cada uno con su asqueroso destino: Julio, Zavala, el gordo, yo.

Floté largo tiempo, dejándome llevar por la corriente; luego nadé de regreso a la playa. Esa misma madrugada huí a Guayaquil y poco después logré embarcarme en un buque de la Knutsen Line, donde anduve trabajando cinco años, antes de cambiarme a este barco destartalado que hace el servicio entre Recife y Dakar. Nunca más volví a oír nada de ellos, aunque a veces, en las noches tranquilas sobre cubierta, navegando a media

Guayaquil and not long after managed to get on a ship, the Knutsen Line, where I worked for five years before switching to this shabby boat that sails between Recife and Dakar. I never heard anything more about them, though at times, during quiet nights on deck, sailing at half speed in the Atlantic,I go over that old story again, and think about all of them, with no hard feelings now.

máquina por el Atlántico, vuelvo a repasar la vieja historia y pienso en todos ya sin rencor.

The Silent Flirtation

Jorge Dávila Vázquez

To Diego Araujo Sánchez

It all began with Cousin Lety's arrival.

The cousin about whom everyone in the family had taken a vow of silence.

For example, if someone said, Cousin Alberto's children are Lucía, Rosita, and the other one —her very name had slipped smoothly under the waters of pretense—, everyone knew who "the other one" was.

At first, neither Rafaela nor Elida was able to ascertain the reason for those sudden silences, that dubious omission, the hypocritical coughs that surrounded the nearly invisible relative like a screen; nor did they understand the reasons for a forgetting that included cutting figures from photos, leaving horrible, inexplicable holes, that made dates imprecise and, during conversations on the subject, sowed the seeds of contradiction.

Lety became visible the time their grandmother, a little daft now and then, said something like, the poor girl, God knows why, all of a sudden, maybe art, probably something to do with those people who work as acrobats and jugglers, so, this, no, or at least I don't

El coqueteo silencioso

Jorge Dávila Vázquez

To Diego Araujo Sánchez

Todo comenzó con la llegada de la prima Lety.

Esa prima, de la que todos en la familia habían hecho una fuente de silencio.

Por ejemplo, si alguien decía, las hijas del primo Alberto son la Lucía, la Rosita y la otra, ya se sabía quién era «la otra», porque hasta su nombre se disolvía en aguas de disimulo, tersamente.

Al principio, ni Rafaela ni Elida alcanzaban a entender el porqué de ese callarse repentino, de esa omisión insegura, de esas toses de hipocresía, que rodeaban como pantalla a una pariente casi invisible; ni entendían las razones de un olvido, que incluso recortó fotografías, dejando horribles, inexplicables huecos, volvió imprecisas las fechas y sembró de contradicciones la conversación sobre el tema.

Lety se volvió visible, la vez que la abuela, medio chocheante a ratos, les dijo algo como que la pobre chica, Dios sabe por qué, de pronto, tal vez el arte, a lo mejor quienes se dedicaban a maromas y oficios de saltimbanqui, pues, éste, no, o al menos creo que pueden ser honestas, pero que, en fin de cuentas, cosas eran, que

think that someone like that could be honest, but, in the end, there were certain things, they happen even in the best of families.

So Cousin Lety wasn't very honest. That was a revelation that came into their lives at a time of uncertainty, full of suspicion and alarm that led them to look for mysteries at every turn and in all that was formerly innocent, unimportant, ordinary; that had them running to the window as soon as they heard the sound of a car stopping or driving along the street, as soon as they perceived the footsteps of someone they were expecting, who came only in their imaginings, as soon as the doorbell sounded, as though the woman who brought the milk every day or the man who delivered vegetables were announcing an unreal, magic presence. An inexplicable period of sighs, of languid looks, and of pictures of movie stars clipped prolifically and saved jealously between the pages of a history notebook or an algebra text by Baldor.

And a short time after that revelation, without warning, bang, like a bolt of lightening striking a wheat field, the telegram, "Arriving tomorrow, Lety." Her, the cousin, in person, and not alone, oh no.

She introduced him as "a friend". Him, staying at the Margarita Hotel. He was blond, tall, with a child's face and lips that suggested hidden photos, a moustache that inspired inexplicable sighs, and a build that made one think of restless little races to the balcony.

It didn't take Elida and Rafaela long to decide that cousin Lety, though she was enchanting, with the

se daban hasta en las mejores familias.

¡Así que la prima Lety no era muy honesta! Fue una revelación que llegó a sus vidas en una época inquieta, llena de suspicacias y sobresaltos, que les hacían adivinar misterios a cada instante y en todo aquello que antes fuera inocente, sin importancia, de cada día; que les hacían correr a la ventana, apenas se escuchaba el ruido de un auto deteniéndose o pasando por la calle, apenas se adivinaba el paso de alguien esperado, que no llegaba más que en la imaginación, apenas había sonado el timbre de la puerta, como si la mujer que traía diariamente la leche o el hombre que entregaba verduras, anunciasen una presencia irreal y mágica. Epoca de suspiros inmotivados, de miradas lánguidas y de fotos de actores del cine, recortadas prolijamente y guardadas con celo entre las páginas de los cuadernos de historia o en el libro de Algebra de Baldor.

Y, poco tiempo después de la revelación, súbitamente, zas, como rayo en un trigal, el telegrama «mañana ésa, Lety». Ella, la prima en persona, y no sola, no.

Lo presentó como «un amigo». El, se alojó en el Hotel Margarita. Era rubio, alto, con un rostro de niño y unos labios que recordaban escondidas fotos, un bigote de evocar suspiros inmotivados y un porte que hacía pensar en inquietas carreritas al balcón.

Elida y Rafaela decidieron bien pronto que la prima Lety, pese a ser encantadora, a usar cosméticos caros y perfumes finos, pese a unos ojos entrenados, tanto para entornarse cual abanicos de poemas rubendarianos, cuanto para abrirse desmesurados o quedar fijos como

expensive cosmetics and fine perfumes she wore, in spite of those eyes schooled to half close like fans in Ruben Dario-esque poems, as well as to open wide or stare like the eyes of a gentle calf, in spite of her dresses of sumptuous fabrics, her gestures like those of an actress on stage, and her way of speaking that reminded one of the lovers on the radio soap operas they knew so well, in spite of everything, she was an old woman.

An old woman, yes sir, ahhh, and he, so handsome, dear God, with that childlike face, one feels this urge to take care of him, to cuddle him, so lovely, so...

"Your little friend is refined", said the grandmother in a tone both satisfied and sly. "So gentle. He has very good manners."

And the two adolescent cousins looked at each other, their smiling eyes reminiscent of sun-warmed water.

On the first little visits of handsome Don Diego — their name for him, using his scant knowledge of literature to advantage in their little games of almost-love, they were polite in the extreme, and distant. But little by little the air began to fill with dazzling birds, and bluebottle and dragonflies that skimmed over warm and silent pools smelling of rose mallow and lemon blossoms.

It goes without saying that in that house there were but four persons who inhaled that air of birds and insects and lemon blossom whispers: Diego, Leticia, and those who, perhaps, had brought it into being, Elida and

los de un ternero manso; pese a sus vestidos de telas suntuosas, a sus ademanes de actriz en escena y a su modo de hablar, que recordaba a las amantes de radionovela, que ellas conocían tan bien, pese a todo, era una vieja.

Una vieja, sí señor, ahhh, y él, tan guapo, Dios mío, tan cara de criatura, que dan ganas de cuidarle, de hacerle cariños, tan simpático, tan...

—Culto es tu amiguito. Decía la abuela, con un tono entre socarrón y satisfecho. Suavito, tiene buenos modales.

Y las dos primas adolescentes se miraban, con una sonrisa en los ojos de agua soleada.

Las primeras visitas del lindo don Diego —como le llamaron ellas, aprovechando sus pocos conocimientos de literatura en sus juegos de casiamor— fueron de lo más corteses y distantes. Pero, poco a poco, la atmósfera se fue llenando de pájaros encendidos, moscardones y libélulas, que sobrenadaban estanques tibios y silentes, olorosos a malva y azahar.

Por supuesto, en la casa, sólo cuatro personas respiraban ese aire de aves, insectos y susurro azaharado: Diego, Leticia y aquellas que fueron quizás las que lo generaron, Elida y Rafaela, que no decían más que una que otra palabra, sonreían apenas, rozaban el dorso de la mano de Diego, al pasar, así, como por casualidad, o soltaban su cabello en presencia del huésped, con un ademán ingenuo, inocente y maligno; o se pasaban la lengua por los labios frescos, perversamente; todo en medio de un gozo y una fruición, que no lograban ni que-

Rafaela, and who said no more than a word here and there, barely smiled, brushed the back of Diego's hand in passing, that sort of thing, as though by accident, or let down their hair with an ingenuous gesture, both innocent and malign, in the guest's presence; or licked their fresh lips, perversely; all of that in the midst of a delight and a satisfaction they could not and did not wish to explain to themselves, laughing, whispering, sweet, honeycombed, in the dense perfume of the morning honey.

Diego for his part, did nothing more than smile, ignorant of the game that enveloped him and also flattered, secretly flattered.

And Leticia, well, she was wrought up, unable to conceal the bitterness, the anguish she felt at the sight of so much youth, so much life to spare, and she took to reminding the girls of those awesome women in books who killed for love or jealousy, those women with eyes very like her own who appeared in old portraits, in one of the very photos she showed them as she pulled the pictures out of an album filled with momentos of her artistic career.

The other members of the family continued living in another world, in which not a single enchanted bird seemed to flutter, no butterfly dropped a little bit of frivolous silvery dust on their eyelashes; a world, in short, where the only dragonfly capable of adding a touch of brief resonance, the only bumblebee that flew about with a black and sparkling buzz was the grandmother in whispered conversations with one of the aunts or uncles, about the extreme youth of Lety's little friend, about the way she looked at him, almost in

rían explicarse, riendo, secreteando, melosas, panal, en el perfume denso de la miel mañanera.

Diego, que se limitaba a sonreír, entre ignorante del juego que lo envolvía y halagado, secretamente halagado.

Y Leticia, que se sofocaba, que no lograba disimular el amargor, la angustia, que le producía tanta juventud, tanto derroche de vida, y que empezaba a recordarles a las muchachas esas mujeres tremendas de los libros, que matan por amores o por celos, esas mujeres, que en los cuadros viejos aparecían con unos ojos muy semejantes a los suyos, en alguna foto de las que les enseñara, entresacándolas de su álbum de recuerdos artísticos.

Los otros seres de la familia seguían viviendo en otro mundo, en el cual, ningún pájaro de ensueño parecía aletear, ninguna mariposa dejaba un polvillo vano y plateado en las pestañas; un mundo, en fin, donde la única libélula capaz de poner un toque de breve sonoridad, el solo abejorro que revoloteaba con un zumbido negro y destellante, era la abuela en susurro con alguno de los tíos o las tías, sobre la extrema juventud del amiguito de la Lety, sobre la forma en que ésta lo miraba, casi con veneración, como a los santos cuando niña, y él, tan indiferente como esos mismos santos, ¿no?, sobre los lujos de la chica, qué es pues mamita, chica, chica, cómo ha de ser pues chica, si yo mismo tengo ya cuarenta y ella, ella qué elegante ¿no?, ropa tan cara ¿no?, y el olor, esta mujer sí que huele como decía en el Don Quijote, a ámbar y algalia, aunque no sabemos ni qué es lo uno, ni qué es lo otro. Ay, mamita, ya otra vez no está tomando los remedios, ya está, de nuevo, hablando

veneration, like a little girl looking at the saints, and he, so indifferent, like those very saints, wasn't it so?, about the girl's fine qualities, what's wrong with you, mother, girl, girl, how can she be a girl, if I'm already forty myself and she, she's so elegant, isn't she?, those expensive clothes, have you noticed?, and the fragrance, that woman does indeed have that smell they talked about in Don Quijote, ambar and musk, though we wouldn't know the one from the other. Oh, mamita, you're not taking your pills again, are you, there you go again, talking nonsense. There's no cure for old age.

But, except for that buzzing insect, everyone, apparently, immune to the wind of that fever blowing against the walls of the house and shaking the four from within, putting a blush on the faces of the girls, turning Leticia mortally pale, beating against the little blond moustache of handsome Don Diego, his light frock coats, his stylish trousers, his silk handkerchiefs.

The feverish crisis reached its peak one morning following a night of nightmares during which Leticia dreamed she was sinking in a swamp blanketed with flowers. She tried to work up disgust for all that exuberance floating on the rotting waters but she only felt something vague, like an undefinable fear. That was the night she'd spent striking out, trying to come up for air, to regain consciousness, falling asleep again and dropping into the quaking bog, sinking into and suddenly emerging from the darkness, the semisleep, the insomnia, until four in the morning.

At nine, the hour of lovely Don Diego's daily

tonterías. La vejez no tiene remedio.

Pero, salvo ese insecto bisbisante, todos en apariencia, inmunes al viento de fiebre, que temblaba entre las paredes de la casa y que sacudía a los cuatro desde dentro, poniendo colores arrebolados en las caras de las chicas, empalideciendo mortalmente a Leticia, azotando el rubio bigotito del lindo Don Diego, sus levitas claras, sus pantalones a la moda, sus pañuelos de seda.

La crisis febricitante alcanzó su grado más alto la mañana siguiente a una noche de pesadillas, en la que Leticia soñó que se hundía en un pantano cubierto de flores. Ella quería sentir asco por toda esa lozanía flotando sobre aguas descompuestas y sólo sentía algo vago, como un temor inexpresable. Fue una noche aquella, en que había pasado dando manotazos para volver al aire y a la conciencia, tornando a dormirse y cayendo en la tembladera, sumiéndose y saliendo bruscamente a la oscuridad, al semisueño, al insomnio, hasta las cuatro de la madrugada.

A las nueve, hora de la diaria llegada del lindo don Diego, las muchachas se percataron de que la prima dormía profundamente.

Hubo un juego de miradas cómplices, silentes, felices.

Rafaela se instaló en la puerta, mientras Elida descendía, luego de cuidadosa inspección del terreno y cerciorándose de total ausencia de tíos y tías, éxtasis de la abuela, mercado de la servidumbre, a apostarse en el jardín.

—Está dormida, dijo, franqueando la entrada al visitante, en el momento justo en que éste iba a timbrar.

arrival, the girls realized that their cousin was fast asleep.

They exchanged looks, complicit, silent, delighted.

Rafaela stood at the door while Elida went downstairs and, after carefully inspecting the lay of the land and assuring herself that not an uncle or aunt was about, that the grandmother was in one of her states of ecstasy, the servants at the market, she positioned herself in the garden.

"She's asleep," she said, opening the door just as he was about to ring the bell.

"I'll come back..." he said, hesitating.

"Won't you wait for her... Would you like to come in?" There was something in that teasing voice. It was a secret invitation he thought he heard.

"Very well. I accept."

Near the living room, Diego felt the hot touch of the hand, the excited breathing, now in the door, the breasts, the body, the face.

"I...," he murmured.

Elida smiled, confused, her eyes half-closed, pressing herself longingly against him.

"Do be careful," warned Diego, but already the warm mouth was against his, the lips touching his lips, seeking them out, playing with his blond moustache. His hands trembled on the girl's body, but she slipped away immediately to take her position on the upper floor, next to Leticia's bedroom.

"She's sleeping," Rafaela said, extending her hand. In that instant, Diego became fully aware of the rarified air. Then, the same feverishness, the trembling, the fleeting fear, the mouth, the body, the hands that searched without knowing what they sought in that

—Volveré...dudaba él.

—¿No quieres esperarla...no quieres entrar? En algo de esa voz vacilante, había una invitación secreta, creyó percibirla.

—Bueno. Aceptó.

Cerca de la sala, Diego sentía el roce febril de la mano, la respiración agitada, ya en la puerta, el pecho, el cuerpo, el rostro.

—Yo...murmuró.

Elida sonreía, turbada, con los ojos entrecerrados, apretándose anhelante a él.

—Cuidado, advirtió Diego, pero ya la boca cálida estaba junto a la suya, los labios en sus labios, buscándolos, jugueteando con su bigote rubio. Sus manos temblaban en el cuerpo de la muchacha, que escapó casi en seguida, para montar guardia en el piso alto, junto al dormitorio de Leticia.

—Está dormida, dijo Rafaela, tendiéndole la mano. Diego, en ese instante, tuvo plena conciencia del aire enrarecido. Luego, la misma febrilidad, el temblor, el miedo fugaz, la boca, el cuerpo, las manos que buscaban sin saber qué, en ese huir jovencito y dulzón, tan pasajero como el de Elida, Elida, que murmuraba al oído de Leticia en la falsa oscuridad del dormitorio.

—Lety, Diego está aquí ¿qué le decimos?

—¡Ah! La vio asustada, como saliendo de una breve muerte, abrir los ojos enormemente, e incorporarse. Dile que me espere, que ya bajo. Y se desperezaba, bostezando.

Elida salió del cuarto. Silbaba. Tenía un canario en el pecho, y en la boca un sabor de loción, de esa tan fuerte, que al percibirla en Diego su abuela había dicho «pero, este amigo de Lety es más perfumado que mu-

young and sweet fleeing, as brief as that of Elida, Elida, who murmured into Leticia's ear in the artificial darkness of the bedroom.

"Lety, Diego is here. What shall we tell him?"

"Ah!" She looked frightened as she opened her eyes wide and sat up, as though she were returning from a momentary death. "Tell him to wait for me, that I'll be down in a minute." And she yawned and stretched.

Elida left the room. She was whistling. She held a canary in her breast, and in her mouth the taste of lotion, of one so distinctive that, on smelling it on Diego, the grandmother had said, "But this friend of Lety wears more perfume than a woman."

Her trill interrupted an incipient embrace in the living room, and for the remaining time they burst into laughter, word games, and subtly suggestive phrases until Leticia came down the stairs, almost as though she were a heroine in one of those old romantic movies — movies they were allowed to see and enjoy after mamita assured herself that they weren't for "adults only,"— with her hair loose, in her dressing gown with the lace at her breast half-open, and a still lovely leg emerging with each step.

"My love," said Lety, kissing the lovely Don Diego near his mouth, on the tip of his little blond moustache. "We're off tomorrow, so if you want to buy some of those things the people here make, I don't know, embroidery, knits for your mother, filigree jewelry, those things you call marvels, you had better do it today."

The girls looked at one another in silence and left the room without making a sound, feeling on their fresh flesh Diego's eyes, palpitating and indecisive; he was still shaken by a slight confusion, they saw it, as well as

jer».

Su trino rompió una caricia apenas iniciada en la sala, y el resto del tiempo, se disolvió en risitas, juegos de palabras y sobrentendidos, hasta que Leticia descendió las escaleras, cual si fuera la heroína de esas viejas películas románticas —que a veces les permitían ir a admirar, cuando mamita se había cerciorado de que no eran para «mayores con reparos»—, con el cabello suelto, el salto de cama con los encajes del pecho entreabiertos y una pierna todavía hermosa, descubriéndose a cada paso.

—Mi amor, dijo Lety, besando al lindo don Diego junto a la boca, en la punta del bigotito rubio, mañana nos vamos, así que, si quieres comprar algunas de esas cosas hechas por nuestra gente, qué sé yo, bordados, tejidos para tu mamá, o una joya en filigrana, algo de lo que tú llamas «maravillas», tienes que hacerlo hoy.

Ellas se miraron en silencio y abandonaron la habitación sin hacer ruido, sintiendo sobre sus figuras frescas, palpitante e indecisa la mirada de Diego; ligeras turbaciones lo sacudían aún, ellas las percibieron, tanto como la intranquilidad en los ojos de Lety, su casi temor.

Los vieron partir al otro día.

La familia en pleno fue a decirles adiós en la estación.

Las muchachas jugueteaban, ambas, con un dedo en los labios, como invitando a guardar silencio, o enviando besitos volados, furtivos. Diego sonreía, con una leve tristeza. Leticia, aliviada por el presente, pero insegura, desconfiada, con un algo amargo revolando sobre el futuro, cotorreaba, prometía escribir, se acomodaba

the worry in Lety's eyes, something close to fear.

They watched them leave the next day.

The entire family went to the station to see them off.

The girls were playful, the two of them, putting a finger to their lips, as though asking him to keep a secret, or blowing him furtive kisses. Diego smiled with a trace of sadness. Leticia, relieved for the time being, but unsure, mistrustful, with something bitter fluttering over the future, chattered, promised to write, adjusted a horrible hat that everyone noticed; kisses for the grandmother; affectionate gestures —with something clawing about them— for them; hugs for the uncles and aunts.

He, on extending his hands, pressed theirs, sweetly, complicitly.

The eyes of the two girls were shining when the bus took off, raising a luminous cloud of dust.

The family walked to the house, conversing all the while about unimportant, apparently inane matters, but filled with relief. A relief summed up in the words of the grandmother, words everyone tried to hush, even though they expressed their thoughts.

"Well, they're gone at last. The visit was beginning to drag on."

"A lovely day," sighed Elida.

"Yes, it is," Rafaela agreed, her eyes and her thoughts flying after a dusty worm that was already disappearing around a distant curve. "Yes, it is."

And they smiled at one another in silence. A silence heavy with little secrets.

un horrible sombrero, que llamó la atención de todo el mundo; besos a la abuela; cariños, que algo de arañazos tenían, a ellas; abrazos a los tíos y tías.

Él, al estrechar sus manos, apretó, dulce, cómplicemente.

Las dos tenían los ojos brillantes, cuando el autobús partió, levantando una polvareda luminosa.

La familia caminaba hacia la casa, en medio de una conversación sin trascendencia, insulsa en apariencia, pero colmada de alivio. Un alivio que se resumió en las frases de la abuela, a la que todos hicieron callar, aunque expresaban sus pensamientos:

—¡Vaya, antes se fueron! ¡Ya mucho estaba durando la visita!

—¡Hermoso día! Suspiró Elida.

—Así es. Confirmó Rafaela, echando a volar sus ojos y su pensamiento en pos de un gusano polvoroso, que se perdía ya en una curva distante. Así es.

Y se sonrieron una a la otra, en silencio. Un silencio cargado de mínimos secretos.

The Triple Somersault

Iván Egüez

"I wanted to be a trapeze artist, not an extra. I spent hours watching the Laporte brothers flying through the air."

"That's what they did. They weren't trapeze artists, human I mean. They were birds, or fish."

"I'd say fish."

"That's it. They swam through the air, so smooth, those slow turns, just like fish. At first you were terrified, but then you soared with them, forever water-borne."

The two of them stared into the air for some time, as though the Laporte brothers were above, performing at that very moment.

"What happened then?"

"Fucking life."

(Dialogue between Farseto and the Prince in *Máscaro, el cazador americano,* by Haroldo Conti).

El triple salto

Iván Egüez

—Yo quería ser trapecista, no figurante. Me pasaba las horas mirando a los hermanos Laporte que volaban por el aire.

—Eso hacían. No eran trapecistas, quiero decir algo humano. Eran pájaros, o peces.

—Yo diría peces.

—De acuerdo. Nadaban en el aire con la suavidad de un pez, esas lentas torceduras. Primero uno se aterraba pero después saltaba con ellos eternamente acuático.

Los dos se quedaron mirando el aire un buen rato como si los hermanos Laporte maniobraran sobre sus cabezas ese mismo momento.

—¿Qué pasó después?

—La puta vida.

(Diálogo entre Farseto y el Príncipe, en *Mascaró, el cazador americano,* de Haroldo Conti).

"Form shatters when it clashes with life."
(On Kierkegaard and Regina Olsen.)
Georg Luckács. Complete Works. Volume I.

Tomorrow at dawn the caravan will pull into the big city and you, Tania, will have been irrevocably quarantined, imprisoned in your wagon; I've unhitched it from the convoy and barred the porthole and the little windows so that when you wake up you won't be able to get out. You'll find yourself lost, trapped, defenseless. The impresario will notice your absence when the main show begins, but it will be too late. The show must go on, and you, Angel of the Trapeze, will not be able to descend over that abyss of special guests, of ambassadors and ranking military men, of philanthropists, benefactors, and bankers, of judges prepared to applaud and reward you. Don't let this betrayal by your Payayo Payayón surprise you; it's all part of a plot, punishment for your vanity: the Flying Fish, the High-Stepping Horse, and I are accomplices. Today it's your turn, but later we will bring all members of the circus to justice, beginning with the sleazy impresario and going on to the last of the nail spitters. All of them will be punished in one way or another. Only the animals will be spared. They will be our allies and one day there will be a huge party, when we're free, we

«La forma se rompe al chocar con la vida»
(Sobre Kierkegaard y Regina Olsen)
Georg Luckács. Obras Completas. Tomo I.

Mañana al atardecer la caravana llegará a la gran ciudad y tú, Tania, habrás quedado irremediablemente segregada, presa en tu carromato al que yo he zafado del convoy y he clausurado poterna y ventanucos para que al despertarte no puedas salir. Verás que estás perdida, atrapada, indefensa. Al comenzar la función de gala el Empresario reparará en tu ausencia, pero será inútil. El concurso deberá empezar, y tú Angel del Trapecio, no podrás descolgarte sobre ese abismo de invitados especiales, de embajadores, de militares de alto rango, de filántropos, benefactores y prestamistas, de jueces dispuestos a aplaudirte y premiarte. No te admires de esta infidelidad de tu Payayo Payayón; todo es parte de un complot para castigar tu vanidad: el Pez Volador, el Braceador y yo somos los cómplices. Hoy es contigo, pero luego ejerceremos justicia contra todos los del circo, comenzando por el mantecoso empresario hasta el último de los soplatuercas. Todos de alguna forma serán castigados. Sólo los animales se salvarán. Ellos serán nuestros aliados y un día de gran fiesta quedaremos libres los tres payasos del trapecio y los cuarenta animales de las jaulas. El pacto comenzó una tarde de invierno en

three trapeze clowns and the forty caged animals. The plot was hatched one winter afternoon in that great gypsy city on the other side of the Carpathians. Was it called Cluj? Or was it Brashov, perhaps? I don't remember, but it was a city with a lot gypsies, those people —you used to call the gypsies— they do nothing but can manage anything, though they are dispossessed they have the world at their fingertips, they ought to be the show's main act. You were going to do the triple somersault for the first time, at a height of twenty meters without a net. And you did it. It was the apotheosis of your career. You were showered with flowers in every city, there were photographs, invitations, furs, and jewels. But we didn't count for a thing, or rather, I didn't, I who trained you for eight years, and the Flying Fish who ruined his figure with those barbarous stomach exercises in order to send you three meters higher so that you could begin the pirouette, nor did the sharp eye, the nerve, the wrists, and the prodigious arms of the High Stepping Horse matter once you were famous. You, until that time the angel of my dreams, turned into the Angel of the Trapeze, Angel of the Abyss, Angel of Hell, Angel of the newspapers and the dinners and the autographs and the bouquets of flower and the embossed invitations. You, the Angel of my dreams, became the scourge of my sleepless nights, because no longer did you wait for me in the wagon with a pot of water and the samovar steaming. You went out to dinner (and for all I know, those dinners ended in breakfasts) to the hotels and dachas of the grand gentlemen, of those who —we found out later— were brought to justice by the people, by people like us, life's clowns who go along making the best of bad times, but

aquella ciudad gitana al otro lado de los Cárpatos. ¿Se llamaba Cluj? ¿Era Brashov quizás? No lo recuerdo, pero era una ciudad con mucho cíngaro de por medio, esa gente —decías de los gitanos— que no hace nada pero puede todo, son desposeídos y a la vez tienen el mundo al alcance de la mano, merecen la première del espectáculo. Ibas a saltar por primera vez el triple desde veinte metros de altura sin red. Y así lo hiciste. Y fue tu apoteosis. En cada ciudad te llovieron las flores, los fotógrafos, las invitaciones, las pieles y las joyas. Pero nosotros no contamos para nada, es decir yo que desde hace ocho años te había entrenado, el Pez Volador que dañó su figura por esos bárbaros ejercicios de estómago que permitirían darte el impulso de tres metros que tú necesitabas para iniciar desde más arriba la pirueta, ni contaron para tu fama la vista, los nervios, las muñecas y los portentosos brazos del Braceador. Tú hasta ese momento ángel de mis sueños, pasaste a ser Angel del Trapecio, Angel del Abismo, Angel del Infierno, Angel de los periódicos y las cenas y los autógrafos y los canastos de flores y las esquelas. Tú, Angel de mis sueños, pasaste a ser tormento de mis insomnios, porque ya no me esperabas en la carreta con el escalfador listo ni el samovar humeante. Ibas a cenar (y quién sabe si esas cenas no terminaron en desayunos) a los hoteles y dashas de grandes señores, de esos que —después supimos— fueron ajusticiados por el populacho, por gente como nosotros, payasos de la vida que vamos poniendo buena cara al mal tiempo, pero como dice el dicho, huye del buey manso y de la cólera del payaso. Ibas a esas comilonas interminables, pitanzas que resultaban pornográficas hartura, mientras yo vaciaba la cazuela del león o robaba las bananas de los monos. ¿En cuál ciudad fue eso?

there is a saying, flee from the gentle ox and the rage of the clown. You went to those endless spreads, insignificant affairs that were in fact gluttonous obscenities, while I licked the lion's trough or stole bananas from the monkeys. In what city was that? It doesn't matter, a circus has no time or place because it lasts forever and has been everywhere. You went to the banquets while the Fish was in such agony with hunger that he choked on his own bones, and the High Stepping Horse went on feeding himself with sulphur and sawdust to harden his muscles, muscles that weren't for him, you understand, muscles that made possible your photos and your dates. And we saw with horror how the rest of the circus people worshipped you as well and paid court: the sword swallower got himself a huge sable just to please you, the lion tamer's wife said that what the rubber woman did was suicide, a suicide brought on by jealousy, because the lion tamer no longer looked at that body she contorted, rolling up into a ball, head, arms, and legs tucked away so that she looked to the audience and, above all, to the lion tamer, like pure butt and nothing more. The old man who sold flowers at the entrance became your eunuch lover, and all the money he made from sales during the three shows each day he began to spend religiously on flowers for you. Only the animals, Tania, didn't buy into that idiocy and reverence, the monkeys kept right on jacking off in front of you, the lion belched when he saw you, the elephant saved up huge farts for when you passed, and the Great Sacred Cow from India shat on the blue velvet that had once been your shawl. So now you know, Tania, the Payayo Payayón, who never once complained, is punishing you today, leaving you in the desert so that

No importa acordarse, el circo no tiene tiempo ni lugares porque es de siempre y ha estado en todas partes. Fuiste a los banquetes mientras el Pez agonizaba de hambre atragantado con su propia espina y el Braceador seguía alimentándose con azufre y aserrín para templar los músculos, los músculos que no eran para él, entiende, los músculos que sostenían tus fotos y tus citas. Y vimos con espanto cómo el resto de la gente del circo también te reverenciaba y te hacía la corte: el tragaespadas consiguió un sable descomunal sólo para halagarte, la mujer del domador dijo que lo que hizo la mujer de goma fue un suicidio, un suicidio por celos, porque el domador ya no le miraba el contorsionado cuerpo cuando se hacía bola y ocultaba cabeza, brazos y piernas hasta quedar ante el público, pero sobre todo ante el domador, hecha un solo y puro trasero. El anciano que vendía flores a la entrada, comenzó a ser tu amante eunuco y todo el dinero que recaudaba de la venta en las tres funciones diarias, empezó a gastarlo religiosamente comprando flores para ti. Sólo los animales Tania, no cayeron en el embobamiento ni en la pleitesía; los monos seguían haciéndose la paja en tu delante, el león eructaba cuando te veía, el elefante embodegaba grandes pedos para cuando tú pasaras y la Gran Vaca Sagrada de la India se cagaba sobre el terciopelo azul que un día fue tu manto. Así que ya sabes Tania, el Payayo Payayón que nunca te protestaba hoy te castiga dejándote en el desierto para que no llegues al Concurso Mundial de Salto Triple que todo el mundo sabe fue organizado por el mantecoso empresario para que el título te lo llevaras tú. Pero aquí te quedas Tania. Tania que no eres Tania, porque tú y yo sabemos que de rusa no tienes nada. Los dos sabemos que te llamas Clara Inés a secas, colombia-

you won't get to the World Triple Somersault Championship that everyone knows was organized by the sleazy impresario so that you would win the title. But you're staying here, Tania. Tania who's not Tania because you and I know that you don't have a drop of Russian in you. We both know that your name is Clara Inés, period, a little Colombian orphan who ran with twenty or so other urchins begging in the streets, that you hid in the patched tent and ran away with the circus, and that I was a Panamanian, which is the same as being Colombian, I talked to you in a language that brought us together, because the circus also belongs to the gringos now, Tania, you know that better than anybody, you, who in spite of never learning the language can make yourself understood by any and all gringos. So you were a pretty little brat and I was already flying on the trapeze by then, but while you went on growing into life, I was growing into death. And I felt old that time you came naked to my flea-ridden cot to tell me you were freezing to death. And I was so flustered by all that flesh that I asked how you expected not to feel cold if you went around naked liked that. But I felt even older when I slipped from the trapeze for the first time, and from then on I stopped flying head first because my ankles had grown old and they didn't hold me anymore. And the time that passes, that we measure in the mirror, is also a kind of trapeze time, a pendulum that has to stop one day, to stop for him who falls from the pendulum, even though it keeps moving for the audience. And I thought about God and told myself that the Lord was the owner of all the tents and if he were to forget about us for a single minute the game was up. Being forgotten by God, Tania, is sort of like finding yourself without an

nita huérfana que pedías limosna entre una veintena de gamines, que te ocultaste entre la carpa remendada y huiste con el circo, y yo que era panameño o sea como decir colombiano, te hablé en la lengua que nos unía, porque el circo Tania, ahora es también negocio de gringos, tú lo sabes más que nadie, tú que has aprendido no a hablar pero sí a entenderte con cualquier gringo, sea de donde sea. Entonces eras una mocosa pelada y yo ya volaba en el trapecio, pero mientras tú fuiste creciendo para la vida yo fui creciendo para la muerte. Y me sentí viejo aquella vez que entraste desnuda en mi pulguiento catre a decirme que te morías de frío. Y yo turbado ante tanto pellejo te dije que cómo no ibas a sentir frío si andabas así desnuda. Pero más viejo me sentí cuando resbalé por primera vez del trapecio y desde entonces nunca más volé de cabeza porque mis tobillos habían envejecido y ya no me sostenían. Y ese tiempo que pasa, que uno lo mide en el espejo, es también un tiempo de trapecio, un péndulo que tiene que detenerse un día, detenerse para el que cae del péndulo, aunque para el público siga en movimiento. Y pensé en Dios y me dije que ese señor era el dueño de todas las carpas, que nomás tenía que olvidarse un minuto de nosotros y sonábamos. El olvido de Dios Tania, es algo así como quedarse sin público. Entonces de esas vueltas y revueltas en el corazón salió mi decisión de hacerme payaso, payaso volador, Payayo Payayón que suba al trapecio no para oír el silencio de la angustia sino para oír carcajadas. Y entre volada y volada se fue acumulando este odio por ti. Hasta hoy que he decidido llevar a cabo mi pequeña gran venganza. Y he tenido que ser fuerte Clara Inés para no caer en tus celadas, para hacerme oídos sordos a eso que dijiste ayer de madrugada: «Payayito, voy a volar con tu

audience. So from those twistings and turnings of my heart came my decision to be a clown, a flying clown, Payayo Payayón, who climbed up to the trapeze not to hear the silence of despair but to hear bursts of laughter. And between one swing and another this hatred for you grew. Until today, when I have decided to carry out my grand little act of revenge. And I've had to be strong, Clara Inés, so as not to be tricked by you, I had to turn a deaf ear to what you said to me yesterday at dawn: "Payayito, I'm going to fly with your costume and your mask, because we mustn't be recognized during the competition. That will be my way of thanking you for all you've taught me." But Clara Inés, the decision has already been made. You won't be at the competition, nor will you be doing me the honor you promised because, as you well know, it's yourself you're planning to honor, and if there's a trace of gratitude in your words, I'll also teach you what gratitude is really about. Without anyone knowing or realizing what is going on, I will climb to the trapeze in your place. My doublet and my mask that were going to be your disguise will hear the applause meant for you and will feel, under the fabric and the makeup, a warmth never before experienced, a heart and an expression that will not belong to me alone. It will be as though the two of us were flying in an embrace. And after the flight, when we are about to connect, I'll fall. I'll fall from the twenty meters you dreamed about, and my body will shatter when it crashes against life. And I'll hear the scream of horror for what will seem like an eternity. And when some child from the box seats, who isn't so horrified by death, comes up to ask me what happened, he will find, in the enormous pocket where I used to keep those

jubón y tu máscara porque el concurso es anónimo. Ese será mi gesto de agradecimiento para ti que me enseñaste todo». Pero Clara Inés ya está decidido. No llegarás al concurso ni al homenaje que esperas darme, porque bien sabes que es a ti el homenaje que buscas recibir y si hay algo de gesto en tus palabras, también te enseñaré a consumar un gesto. Sin que nadie sepa ni se dé cuenta, subiré al trapecio en tu reemplazo. Mi jubón y mi máscara que iban a ser tu disfraz, sabrán de los aplausos para ti y sentirán dentro de la tela y el maquillaje un calor desacostumbrado, un corazón y una mueca ya no sólo mía. Será como volar los dos en un abrazo. Y después del vuelo, al tiempo del enganche, caeré. Caeré desde los veinte metros soñados por ti y se romperá mi forma al chocar contra la vida. Y sentiré el grito del horror como una eternidad. Y cuando algún niño de la platea, sin tanto horror a la muerte se acerque a preguntar qué me pasó, encontrará en el enorme bolsillo donde guardaba los interminables pañuelos, una carta escrita para ti, caliente como una paloma antes de morirse. Y del horror la gente pasará al contentamiento y dirá ¡qué alegría, no ha sido Tania el Angel del Trapecio, ha sido un payaso solamente! Y vendrán el Pez Volador y Braceador y se sorprenderán ante tanta muerte junta, porque ellos Tania, yo les escuché iban a matarte en éste que iba a ser tu mejor día, el de tu consagración y triunfo. Yo les escuché el plan macabro, al tercer vuelo, al momento del impulso para el enganche el Pez te daría menos viada, la justa, la necesaria como para que el Braceador haga visible su esfuerzo por sujetarte inútilmente y caigas y mueras y muera contigo la duda que les atormentaba a los dos desde hace mucho tiempo, desde que comenzaron a dormir los dos payasos juntos, desde que se celaban

interminable handkerchiefs, a letter written to you, as warm as a dove about to die. And the horror felt by the audience will turn into satisfaction, and they'll say, how marvelous, it wasn't Tania, the Angel of the Trapeze, it was only a clown. And the Flying Fish and the High Stepping Horse will come, and they will be surprised at all that death come at once, because they, Tania, I heard them, they were going to kill you on what was supposed to have been your best day, the high point of your career, your triumph. I heard them discussing the macabre plan, the third swing, when the Fish was to give you the push for the hookup it wasn't going to be enough, but just the force necessary so that the High Stepping Horse could make a visible but futile effort to grab you, and you fall and you die and with you dies the doubt that has tormented them, the two of them, for a long time now, since the two clowns began to sleep together, since they began to watch one another jealously, seeing in your beauty a rival in the eyes of the world that rejected them. And that love, already a little worm-eaten by insults, wanted to find affirmation in something stronger than love itself: in plotting your death. With the sealed letter for you, everyone will think that this is a suicide, and you, Tania, with the pride and vanity you carry about, pained by the reproof of pretexts and hatred that I had to invent in order to be able to die in your heart on the eve of my death in the sawdust, with your vanity, I mean, you will not open the letter, you will call a press conference and, in the midst of popping flashbulbs, you will tear up the letter with the truth that speaks of our love and with the verses we listened to together the time a shepherd lamented for having lost his tiny *mioritza.* And the impresario, with a martini in

mutuamente viendo en tu belleza la rivalidad ante el mundo que los rechazaba. Y ese amor ya un poco carcomido por el vilipendio, quiso afirmarse en algo más fuerte que el amor mismo: la complicidad en tu muerte. Con la carta sellada para ti, todos creerán que se ha tratado de un suicidio, y tú Tania, con el orgullo y la soberbia que te cargas, dolida por la andanada de pretextos y odios que tuve que inventar para lograr morirme en tu corazón la víspera de morir en el aserrín, con tu soberbia digo, no abrirás la carta, convocarás una rueda de prensa y entre el magnesio de las cámaras romperás la carta de la verdad que te habla de nuestro amor y que te copia versos que escuchamos juntos aquella vez que un pastor se lamentaba de haber perdido su pequeña mioritza. Y el Empresario con un martini en la mano dirá: No, no es suicidio ni crimen. Es la responsabilidad frente al trabajo. Tania enfermó y no pudo venir, entonces el Payayo Payayón tenía que salvar el espectáculo, porque ustedes saben, el público ante todo.

his hand, will say: No, we're not dealing with suicide, nor with a crime. His was a responsible attitude toward a job to be done. Tania was ill and unable to perform, so Payayo Payayón stepped in to save the day because, as you well know, the show must go on.

The Buried Axe

Iván Oñate

These words I write would go with me to the grave had not the rain and loneliness knocking against the black trees in the early morning hours found me awake.

It all happened in this abandoned manor respected even now by the city's sudden growth. Twisting around the bars of the iron grillework on the large shattered windows, the underbrush seeks out the sickly gloom of halls that gleamed in times past with precious metals and grandeur.

In spite of the years gone by, I know that the mere mention of a name, Julián Alzamora, will bring many to relive that shocked awakening, the entire city opening the papers with the terrible news. Others, on recalling his life, will see the splendor of a meteor that crossed the sky and, in ashes, plunged deep into the bowels of the earth.

In any event, no one will forget the house and those nights when the most prominent men of the period gathered and, above all, the wines of Venetto competing in flavor and price with those delectable women. The servants remembered how, on one occasion when a celebration reached its most solemn moment, they saw

El hacha enterrada

Iván Oñate

Lo que escribo me lo llevaría a la tumba, de no ser porque la lluvia y la soledad golpeando contra los negros árboles de la madrugada me encontraron despierto.

Todo ocurrió en este caserón abandonado que aún el repentino avance de la ciudad respeta. Retorciéndose en las lanzas de la verja, en los amplios ventanales destrozados, las malezas buscan la enfermiza oscuridad de los en otra hora relucientes salones del metal y la grandeza.

A pesar de los años, sé que la sola mención de un nombre: Julián Alzamora, hará que muchos revivan aquel despertar conmocionado; la ciudad en pleno desplegando los diarios con la terrible noticia. Otros, al evocar su vida, verán el resplandor de un bólido que cruzó el cielo y se hundió en cenizas, en la profunda entraña de la tierra.

De todos modos, nadie olvidará la casa y aquellas noches en que se daban cita los más renombrados hombres de la época y sobre todo, a competir por su sabor y precio, los vinos del Venetto y las mujeres regias. Recordaba la servidumbre, cierta ocasión, cuando un homenaje alcanzaba su más severo punto, que vieron a don

Don Julián burst in with cape and whip, astride a horse led by a woman dressed like a boy. A woman over whom many a self-assured Cassanova had lost his hacienda, his pride, and, finally, his mind.

The truth is that stories like these don't belong to me. I acquired them by chance and in bits and pieces. Mine, or better yet, the story to which I belong, is the one that brought me to this ghostly manor and that just this once I will try to revive by retelling.

Rumors, both questionable and well-founded, attribute Don Julián's tragedy to the success achieved by the only novel he ever wrote, back in the thirties. At the end of the book there is a passage where, in highly dramatic language, the sweeping retaliation against a peasant uprising is described. Don Antenor López, owner of the feudal estate, satisfied that matters have recovered their center, contemplates the rose-colored twilight from the high balcony of his home on the hacienda. He exhales a mouthful of smoke and, chewing his energetic cigar, makes a half turn and disappears down the novel's staircase in the last line of the chapter. That's all. But then, on the following page, in an unexpected change of style, a small paragraph, in the form of an epilogue: In the shadow of the night, another shadow, crouched and furtive, springs onto the stone wall that surrounds the house, looks quickly from side to side and, leaping into the muddly patio, buries the axe under the pine tree's pitch black silhouette.

Among the critics, even the faultfinders agreed with the enthusiasts in proclaiming this the novel's most fully realized passage. Students of form and semantics described the work's inspired methods. In more than one magazine, true hermeneutic analyses appeared. In

Julián irrumpir de capa y látigo, montando en un alazán que conducía la mano de una mujer vestida de muchacho. Mujer por la que tantos aplomados casanovas habían perdido la hacienda, la vergüenza y por fin el juicio.

En honor a la verdad, historias así no me pertenecen, las fui adquiriendo como al descuido y por retazos. La mía o mejor dicho, la historia a la cual pertenezco, es la que me ha traído a este caserón como un fantasma y que por sólo esta vez trataré de avivarla con el recuento.

Los tenues como también sólidos comentarios atribuyen la tragedia de don Julián al éxito alcanzado por su única novela escrita, allá por los años treinta. Al final del libro hay un pasaje donde en términos sumamente dramáticos se describe la represión consumada a un levantamiento campesino. Don Antenor López, amo del feudo, satisfecho de que las cosas hayan recuperado su centro, contempla el crepúsculo enrojecido desde el alto mirador de la casa hacienda. Exhala una bocanada de humo y mordiendo su enérgico cigarro da media vuelta y se pierde por las gradas de la novela en el último renglón del capítulo. Eso es todo; pero de pronto, con un cambio inesperado de estilo, en la página siguiente, un pequeño párrafo a la manera de epílogo: En la sombra de la noche, otra sombra, agazapada y furtiva brota sobre el muro de piedra que rodea la casa, mira rápidamente a los costados y lanzándose al fango del patio entierra el hacha bajo la negrísima silueta del pino.

La crítica más adversa coincidió con la entusiasta en calificar a este pasaje como el mejor logrado en la novela. Estudiosos de la forma y la semántica describieron en la obra sus inspirados métodos. En más de una revista aparecieron verdaderas hermenéuticas. En universida-

universities and high schools, and, of course, in those circles of audacious, pretentious intellectuals, Don Julián's novel became a required text. So great was the frenzy unleashed that it gave rise to the inevitable factions. Some thought they saw in that ending an easy but successful poetic device for closing the novel without closing it. Others, who in addition to being the most zealous were in the majority, saw in it the rich symbol of a race in the supreme act of revenge. The reverberations grew to such an extent that, at one German university, under the direction of Ishmael Greimann, a voluminous study of the novel's anaphoric structure was published.

Don Julián, for his part, cultivated a hermetic attitude in the face of the uproar, one that gave rise to veritable myths spun around his silence, to the extent that his adept evasions were anthologized in a breviary. In short, thanks to the splendor enveloping him, he was named ambassador, minister of state, and living symbol of peace in the midst of all controversy.

It was during the fifties that I came to his house. My father, who at the time was a clerk at Don Julián's father's hacienda, sent me away to this capital city to finish high school. He hoped that the city and Don Julián's care would provide a better future for my lucid reading and fine handwriting skills. Because he demanded nothing of me I ended up doing everything in his house. I stacked the firewood, polished the bronze, and even dusted the countless books in the library. Timid, I first dared only to look at the hundreds of illustrations hidden in the lovely books. Later, I copied the showiest of the stories in a notebook and, later still, in the distant night of my room, I undertook

des, colegios y desde luego, en aquellos sitios de osadía y pretendida inteligencia, se hizo de la novela de don Julián un obligado texto. Fue tal el delirio desatado, que trajo consigo a los insuperables bandos. Unos creían ver en aquel final el fácil pero logrado recurso poético para cerrar sin cerrar la novela. Otros, que a más de ardorosos sumaban mayoría, veían en él la rica simbología de una raza en el supremo acto de la venganza. Tanto creció el eco, que en una universidad germana, bajo la dirección de Ismael Greimann, se publicó un voluminoso estudio sobre la estructura anafórica de la novela.

Contrastando con el escándalo, don Julián, en cambio, cultivó una hermética actitud que dio lugar a verdaderos mitos en torno a su silencio. Al extremo que se llegó a antologar un breviario con sus evasiones talentosas. En fin, gracias al esplendor que lo envolvía, fue embajador, ministro de estado y símbolo vivo de la paz en todas las controversias.

Corrían los años cincuenta cuando llegué a la casa. Mi padre, que en ese entonces era escribiente en la hacienda paterna de don Julián, me envió a esta capital a que concluyera el colegio. Confiaba en que la ciudad y el amparo de don Julián lograrían un mejor destino para mi límpida lectura y mi buena letra. Como resultado de no exigirme nada, terminé haciendo de todo en la casa. Apilaba la leña, limpiaba los bronces y, por último, desempolvaba los interminables libros de la biblioteca. Tímido, primero me atreví a observar los cientos de ilustraciones que escondían esos libros hermosos. Después, en un cuaderno imité lo más llamativo de los relatos, y más tarde, en la apartada noche de mi pieza, acometí la lectura de ciertos libros que, sombrío, devolvía al otro día a la biblioteca. En una de aquellas noches fue que

the reading of certain books that, with a somber feeling, I returned to the library the next day. It was on one of those nights that I came across the final passage of the novel. At dawn I was sitting straight up in bed, awakened by the sound of my own cry. Soaked with sweat and with my face pressed into my hands, I immediately looked for the cause of this vertigo, but all that was left of the dream was a black, convulsive mass split in two by the blade of an axe.

The next day, as I dusted the bookcases in the library and Don Julián, seated at the window, read a letter, an indefinable excitement weighed on my mind, my chest, my entire body, and without thinking, I commented on the dream I'd had during the night. At first I saw in his face the expression so common in those who have known fame: an apparent interest in the speaker, though not a word being said is really heard. Nevertheless, when I dared to insinuate that certain images prompted by the reading did not correspond to what he had written in his novel, I watched him put the letter to one side and move his hand across his face that now, I realized, seemed suddenly nervous. Then I understood that I had pushed inadvertently against a door that ought to have remained shut.

I don't know how to describe what happened next, two insufferable fish that we were, staring at one another across that silence. But I remember that Don Julián managed to return to the letter and, without taking his eyes from it, he asked me to leave the library.

Weeks later, having concluded the daily chores — checking the garden in front of the house, locking the great gates of iron lances and roses—, one of the maids came to look for me in my room. Don Julián was waiting

di con el pasaje final de la novela. A la madrugada desperté sentado en la cama con el llamado de mi propio grito. Empapado de sudor y con la cara apretada entre las manos, de inmediato busqué dar con la cara central del vértigo; pero del sueño sólo restaba una masa convulsa y negra, partida en dos por el rayo del hacha.

Al día siguiente, mientras limpiaba los estantes de la biblioteca, y don Julián, sentado contra la ventana, leía una carta, una indefinible excitación oprimió mi cerebro, mi respiración, mi cuerpo entero y sin pensarlo hice el comentario del sueño que tuve en la noche. A un comienzo, vi en su rostro aquella mueca tan propia de los que practican con la fama: aparentar interés con su interlocutor sin escucharlo para nada en sus adentros. Sin embargo, cuando me atreví a insinuarle que ciertas imágenes provocadas por la lectura no se correspondían con lo que había escrito en su novela, lo miré dejar a un lado la carta y pasarse una mano por el rostro que descubrí bruscamente nervioso. Entonces comprendí que había empujado, involuntariamente, una puerta que debía permanecer cerrada.

No sé describir lo que sobrevino, los dos insoportables peces que fuimos, mirándonos a través de ese silencio. Pero recuerdo que don Julián alcanzó a tomar nuevamente la carta y sin quitarle los ojos, me pidió que abandonara la biblioteca.

Semanas después, concluida mi diaria tarea de revisar el parque delantero de la casa, de asegurar el gran portón de lanzas y rosas metálicas, una de las muchachas vino a buscarme a la pieza. Don Julián me esperaba en la biblioteca envuelto en la bata de seda roja.

—Siéntate —me dijo, acomodándose en la poltrona y señalando una silla con su pipa también roja—.

for me in the library, wrapped in his red silk robe.

"Sit down," he said, settling himself in the easy chair and pointing to a seat with his pipe, also red. "Let's have a look at that dream. Go over it again for me."

I remember the effort in his face to feign a simple curiosity in my story while, at the same time, the reels of the tape recorder he thought hidden whirled eagerly under the table.

"Get on with it!" he exploded. "I'm not going to wait all night!"

Then, picking at my knees, I closed my eyes and thought I had hit upon the precise memory: First, the night and, in it, two enormous, rough hands trying to find a hold on the edge of the stone whitened by the moon; then, the strong, bluish arms of the man who was now a whole and perfect figure standing on the wall; next, a moment of indecision, a quick look to either side before jumping into the patio and burying the axe under the black shadow of the pine.

"It wasn't like that!" he shouted, getting to his feet. "That's how it happens in the book! You mentioned something else, something that didn't fit!"

Besides terror and the time that had gone by, I think it was nervousness brought on by the machine that caused me to confuse events so thoroughly. But the drink he gave me later had a calming effect.

As the days passed, I thought that the matter had been forgotten. Don Julián left the country for several months. When he returned, I saw him enter the house with a lovely young woman who had become famous for demolishing solid figures in the arts with her criticism. They say that, in spite of the carefully chosen homage paid her by one of our sculptors, she made him eat the

Veamos lo del sueño, repítemelo.

Recuerdo el esfuerzo de su rostro por simular simple curiosidad en mi relato pero, también, las ruedas de la grabadora que él había creído ocultar, girando ávidas bajo la mesa.

—¡Apresúrate! —estalló—. ¡No voy a esperar toda la noche!

Entonces, pellizcándome las rodillas, cerré los ojos y creí atinar la memoria justa: Primero, la noche; en ella dos manos enormes y rudas buscando asidero en el borde de piedra blanqueada por la luna; luego, los brazos fuertes y azulados del hombre que ya era una perfecta y armada silueta plantada sobre el muro; después, una indecisión mínima, el rápido mirar a los costados para lanzarse al patio y enterrar el hacha bajo la negra silueta del pino.

—¡No fue así! —gritó poniéndose de pie—. ¡Así es como sucede en el libro! ¡Tú mencionaste algo, algo que no encajaba!

Pienso que además del temor y del tiempo transcurrido, fue la inquietud que me causaba el aparato lo que hizo que confundiera totalmente los hechos. Pero la copa que me diera a beber luego, tuvo el efecto de apaciguar las cosas.

Conforme pasaron los días creí que el asunto había quedado olvidado entre nosotros. Don Julián se ausentó del país por algunos meses. A su regreso, lo vi entrar a la casa con una joven y guapa mujer que había ganado fama por demoler sólidas figuras del arte con sus críticas. Dicen que a pesar de los meditados homenajes ofrecidos por un escultor nuestro, ésta, frente a un sorprendido auditorio le hizo morder el polvo del ridículo.

«Este es el hombre», le dijo don Julián una mañana

dust of ridicule before a surprised group of listeners.

"This is the man," Don Julián said to her one morning as they ate breakfast in the garden. I immediately searched the woman's eyes for a clue to what he meant. I remember that she didn't raise her face to meet mine but, instead, licked the little honey spoon with something as tiny and quick as the flesh of a clam.

Later I learned that the woman's presence was due to the fact that she was writing a book about the life and works of my guardian. Unlike other, erratic biographical sketches, this one would have facts and anecdotes that Don Julián himself would concede in passing. And, above all, the world would learn at last the secret of how he had conceived the novel's final passage.

Rejecting the artiface of surprise, author and subject chose anticipation as a strategy. In some way, the structure of this work would attempt to parallel that of the novel. The biography opened in traditional fashion with the writer's early years and went on to the confusion of an adolescence that matured into success; it would finally descend into the enigma of the epilogue that had caused so much anxiety among the critics.

Contrary to the vile things this woman would later declare to a newspaper, it is imperative to point out that by means of this strategy Don Julián not only protected himself from a premature revelation of his secret but also saw this approach as a way to relive the emotion and magic with which he had written the last passage. Thus, to Marissa Traven he conceded the days and all that did not touch on said magic. He reserved for himself the night and the emotion of finding it again in endless hours of work.

As was to be expected, news of the work revived

mientras tomaba el desayuno en el parque. Inmediatamente busqué en los ojos de la mujer lo que había querido decirle. Pero recuerdo que ella no alzó su rostro para buscar el mío sino que lamió la cucharita de la miel con algo tan diminuto y rápido como la carne de una almeja.

Después me enteré que la presencia de la mujer se debía a que estaba escribiendo un libro sobre la vida y obra de mi protector. A diferencia de otras y antojadizas semblanzas biográficas, ésta tendría datos, anécdotas que el mismo don Julián iría concediendo al paso. Y más que nada, por fin el mundo conocería el secreto de cómo concibió el último pasaje.

Desechados los artificios del asombro, autora y biografiado escogieron la expectativa como estrategia. De alguna manera, la estructura de la hora intentaba ser un paralelo de la novela. Muy tradicional, la biografía daba inicio con los primeros años del escritor, remontaba por los avatares de una juventud que maduró en el éxito, y por último, descendería hasta los enigmas del epílogo que habían sido causa y desasosiego de la crítica.

Contra las infamias que después declarara esta mujer a un periódico, es imperioso señalar que, con tal estrategia, don Julián no sólo se defendía de la divulgación prematura de su secreto, sino que veía en ella la oportunidad de revivir la emoción y magia con las que había escrito el último pasaje. Por eso, a Marissa Traven le concedió los días y todo cuanto no involucrara dicha magia. El se reservó la noche y la emoción de reencontrarla en interminables horas de trabajo.

Como era de esperar, el anuncio de la obra volvió a revivir la discordia y el fervor entre los cultos. Por un lado, los interesados en la interpretación final del texto, con lo cual confirmarían el acierto o fracaso de sus her-

once more the discord and fervor between the factions. On the one hand were those interested in a final interpretation of the text with which they would confirm the success or failure of their hermeneutics; on the other, those who would at last have the opportunity to read pages until now withheld by their favorite author.

From then on, a nocturnal bustle filled the house. The lamps in the library dimmed and were finally vanquished only by the light of a new day. When it was time to clean, I found the remains of something that was occurring between memory and the search for it. The sheets of paper, filled with scribblings and violently torn to shreds, that appeared on the floor were bringing me gradually closer not to the paragraph in which the enigma would become clear but to an ambiguous territory where something inimical palpitated, hidden among the tangled branches of time.

From a quick and secret reading of those texts, I deduced that the reasons leading Don Julián Alzamora to attempt the novel were practical and modest ones. In those days he studied law at the Central University and, for a spirit like his, this city did not offer very complex alternatives: the melancholy nightfall of the downtown bars or the quiet of his desk which might lead to better results.

It seems that Don Julián, imprisoned in a sentimental loss which later gave way to physical problems, looked for refuge in the creation of a parallel world, in an aesthetics that would modify the grotesque reality in which he had been wounded. Thus, between clouds of smoke and energetic gulps of coffee, he devoted himself to sketching the first draft of his novel.

The setting over which he had greatest command

menéuticas; y por otro lado, los que al fin tendrían la oportunidad de leer páginas hasta ahora escamoteadas por su escritor favorito.

Desde entonces, se instaló en la casa el tráfago nocturno. Las luces de la biblioteca sólo eran debilitadas y por último vencidas por la luz de un nuevo día. A la hora de la limpieza, yo encontraba los restos de algo sucedido entre la memoria y su búsqueda. Las cuartillas borroneadas, arrancadas con zarpazos violentos que aparecían por el piso, poco a poco fueron acercándome, no hasta el párrafo en el que se aclaraba el enigma, sino a un territorio indeciso, donde algo enemigo palpitaba oculto entre los enramajes del tiempo.

Por la lectura rápida y secreta de esos textos, deduje que fueron inmediatos y modestos los fines que llevaron a don Julián Alzamora a intentar la novela. Por aquel entonces cursaba leyes en la universidad Central y para un espíritu como el suyo, esta ciudad no brindaba alternativas muy complejas: el melancólico anochecer de las cantinas del centro, o la quietud de su escritorio que podía desembocar en mejores causas.

Parece ser que, presa de un quebranto sentimental que luego derivó en físico, don Julián buscó refugio en la creación de un mundo paralelo. De una estética que modificara la grotesca realidad donde había sido herido. Entonces, por entre las nubes de humo y enérgicos sorbos de café, se dedicó a borronear el primer cuadernillo de su novela.

El escenario de mejor dominio lo encontró en los campos donde transcurrió su infancia. A la luz de las nuevas corrientes sociológicas, de las circunstanciales novelas que había leído, creyó poseer los elementos básicos para acometer la empresa que, como era de supo-

was to be found in the countryside where he spent his childhood. In light of the sociological currents of the time, and from the few novels he had read, he believed he possessed the basic elements needed to undertake the task that, as was to be supposed, was set on his father's hacienda on the paramos of Chimborazo.

What was at first a way to evade grief gradually entrapped him, lured him into the magnetic center of its universe. To such an extent that recovery and forgetting did not lead him, as many expected, to take revenge for love betrayed but, rather, to the self-conscious correction of his world.

Life had taken, for the time being, a new and unending path for Don Julián. Until the morning when, on waking earlier than usual, he realized that he had dried up and that he did not have a conclusion for his work. Disconcerted, he stayed in bed all day, as though waiting for insomnia.

The days passed implacably with their hostile sterility. He sought help in liquor, in the debauchery he had previously disdained, but his interior gloom thickened until pustules blossomed on his body and from his lips ran the greenish liquid of the condemned.

Faced with this calamity, his relatives thought it opportune to follow the measures recommended by the doctor. They took the shattered body of the young Alzamora to the paternal hacienda in the vague hope that the air and the rhythm of the countryside would strengthen that destiny cut short.

Inspiration did not return, but his body took on flesh again. Slowly, life expelled the pernicious humors accumulated in his blood. With true signs of joy, the family saw him tuck his pants into his boots one morning

ner, ubicó en la hacienda de su padre, en los páramos del Chimborazo.

Lo que en un principio fue evasión al quebranto, de a poco fue atrapándolo, seduciéndolo al centro imantado de su universo. A tal punto que la recuperación y el olvido no lo condujeron, como muchos esperaban, a la revancha por su amor envilecido, sino a la corrección ensimismada de su mundo.

La vida, provisoriamente, había adquirido para don Julián un nuevo e inagotable rumbo. Hasta la mañana en que al despertar, más temprano que de costumbre, comprendió que estaba reseco y no tenía el final para su obra. Desconcertado, permaneció tirado en la cama todo el día, como aguardando al insomnio.

Los días pasaron implacables con su esterilidad enemiga. Buscó ayuda en el alcohol, en las francachelas anteriormente despreciadas, pero la oscuridad interior fue espesándose hasta que de su cuerpo brotaron pústulas y de sus labios el agua verdosa de los condenados.

Frente a esa calamidad, sus familiares creyeron oportuno tomar las medidas aconsejadas por el médico. Llevaron el cuerpo deshecho del joven Alzamora hasta la hacienda paterna, con la vaga esperanza de que el aire y el ritmo del campo enderezaran ese destino tronchado prematuramente.

La inspiración no volvió, pero su cuerpo encarnó de nuevo. Lentamente, la vida expulsó los perniciosos humores acumulados en su sangre. Con verdaderas muestras de alegría, una mañana, la familia lo vio meterse los pantalones en las botas y acomodar la carabina en el caballo. A la noche el escándalo de los perros anunció su regreso. En la mesa del comedor y sobre unos mapas discutió afablemente con su padre. En las semanas siguien-

and arrange a rifle on his horse. That night the baying of the dogs announced his return. He conversed affably with his father over some maps on the dining room table. During the following weeks, shoulder to shoulder with the hired hands, he dug an irrigation ditch he himself had mapped while in his sickbed. Until one Sunday the aqueduct reached the hacienda with waters from Chimborazo, waters that came to irrigate hundreds of parcels, as dry and broken as the faces of the people who worked them.

From that day on something fundamental happened between Don Julián and the farm hands. Happy, the women seated him next to their fires and served him a hot drink sweetened with raw sugar while the children admired his rifle and in the patio the husbands gutted the animals he had shot.

Rather than logic, the resurrection of Don Julián seemed the fruit of magic. But he better than anyone knew that, as with all magic, this also held at its core an inevitable price. From time to time he returned to codices and law books.

On one such afternoon as he studied, seated in the corridor that led to the hacienda yard, he amused himself for a time by contemplating the pine buffetted by the wind in the center of the patio. At nightfall he awoke, frightened. The thick tome that he held on his knees had slipped to the ground. Then, trembling, he noticed the stone wall, the yard behind the house, and the pine that swayed high above, and he realized that this was the scene of his dream. A dream from which he still had not awakened altogether. He ran immediately through the rooms of the house and, tearing a page from the hacienda's log, he wrote: "First was the wall, the

tes, hombro a hombro paleó con los peones una acequia que él mismo había trazado desde su lecho de convaleciente. Hasta que un domingo, el acueducto llegó a la hacienda con las aguas del Chimborazo. Aguas que venían de regar cientos de parcelas, tan resecas y partidas, como las caras de sus propias gentes.

A partir de aquel día algo fundamental sucedió entre don Julián y la peonada. Felices, las mujeres lo sentaban junto al fogón y le daban a beber agua de raspadura caliente, mientras que los chicos admiraban la carabina y los maridos en el patio abrían los vientres de los animales logrados en la caza.

Más que lógica, la resurrección de don Julián semejaba el fruto de una magia. Pero él mejor que nadie sabía que, como toda magia, también ésta guardaba en su entraña un costo inevitable. De tarde en tarde volvía sobre los códigos y los libros de derecho.

Una de esas tardes, mientras estudiaba sentado en el corredor que daba al patio de la hacienda, por un buen momento se distrajo en contemplar el embate del viento contra el pino que centralizaba el patio. Al anochecer despertó sobresaltado. El grueso tomo que sostenía en las rodillas había resbalado al suelo. Entonces, estremecido, advirtió el muro de piedra, el patio de la casa y el pino que se remecía en lo alto; y comprendió que ése era el escenario del sueño. Sueño del que aún no estaba del todo despierto. De inmediato, corrió por los cuartos de la casa y arrancando una hoja del libro de hacienda, escribió: «Primero estaba el muro, el blanco muro de piedra conteniendo a la noche; luego, surgiendo de la negrura, una mano que buscaba afirmarse en los bordes de la piedra; por fin, ya sobre el muro, la negra silueta del hombre más negra que en el sueño». Se detuvo. Ciertos

white wall of stone holding back the night; then, emerging from the blackness, a hand that sought a hold on the edge of the stone; finally, now on top of the wall, the black shape of the man blacker than in the dream." He stopped. Certain fragments of the dream escaped him like water sinking into a voracious sand. He quickly added: "The man looks to either side and, leaping into the patio, he buries the glistening axe under the severe presence of the pine."

He read the paragraph several times and went out to go over the scene again. When all seemed lost, he had found the perfect ending for his novel.

The following day, with expressions of affection that surprised his father, he put some clothes into his suitcase and, certain that he was taking with him the sketch of the final vision, he began the decisive journey to the fame that awaited him in Quito.

What happened later is public knowledge. Success transported him in its masquerade. It carried him to the most correct drawing rooms at midday, and from these he was rescued at night by the most illustrious scandals of the decade. Nothing led him to expect then that, as had fame, so also would misfortune come looking for him.

It seems, judging by the violence and the number of sheets of paper that I found scattered on the floor, that in the process of putting his biography together, and more precisely, of reflecting on the novel's final passage, Don Julián had discovered a doubt in the depths of his dream. The comment I made that morning in the library had disturbed his memory irrevocably.

Shut in and bitter, he stayed in bed for several days, until accepting that something in the dream demanded

jirones del sueño se le escapaban como agua sumida por una voraz arena. Rápidamente agregó: «El hombre mira a los costados y lanzándose al patio, entierra el hacha que relució bajo la severa presencia del pino».

Releyó algunas veces el párrafo y salió a repasar nuevamente el escenario. Cuando todo parecía perdido, había encontrado el final justo para su novela.

Al día siguiente, con expresiones de afecto que sorprendieron a su padre, metió alguna ropa en la maleta y seguro de llevar consigo el apunte de la visión final, emprendió el viaje decisivo a la fama que lo esperaba en Quito.

Lo que sobrevino después es de dominio público. El éxito lo acarreó en su comparsa. Lo sentó en escrupulosos salones al mediodía, para que a la noche lo rescaten los escándalos más ilustres de la década. Nada en ese entonces le hizo suponer que, así como la fama, también vendría a buscarlo la desdicha.

Parece ser, por la violencia y número de cuartillas que descubrí tiradas por el piso, que en el proceso de ordenar su biografía y, más precisamente, de reflexionar en el pasaje final de la novela, don Julián, en el fondo del sueño encontró una duda. El comentario que yo hiciera aquella mañana en la biblioteca, irrevocablemente había perturbado su memoria.

Encerrado y agrio, varios días permaneció tendido en la cama hasta aceptar que algo reclamaba en el sueño. En un principio lo consoló la idea de que sería un elemento secundario, algo que olvidó por la emoción del momento. Pero, al tiempo que se medía con el olvido, la duda fue irguiéndose como la sólida silueta del hombre bajo el pino.

Insomne, un amanecer terminó por rendirse a lo

attention. At first he consoled himself with the idea that it might be a minor element, something he had forgotten in the emotion of the moment. But doubt, as measured against forgetting, rose up like the solid shape of the man under the pine.

Early one morning, unable to sleep, he finally admitted what he had so long dreaded: He had spirited away the key to the dream.

The publishing apparatus was paralyzed with fear by this discovery. When Marissa Traven tried to convince him that what he had forgotten was insignificant, now that his life and work were completed facts, Don Julián insulted her and, hurling his pipe to the floor, shut himself up in the library.

Futile were the pleas, the praise, and, finally, the concise laments that the woman, pressing herself to the door, brandished. Don Julián knew then that the fervor and the glory had been vain distractions from a destiny that now flung him to dig about on all fours in the mud of the enemy.

From that day on, all that happened in that house is a memory that belongs to me alone. That same night, knowing that her presence was useless, Marissa Traven left with her suitcases. The following month the servants did as well.

From newspapers and magazines that Don Julián no longer read, I learned about the rancorous epithets which some writers cast over his name. Madness, as the predictable and inevitable end of genius, was the most compassionate comment. Tardy and clumsy, a third rate magazine ventured to lament that they had been the victims of a well-planned hoax.

Blessedly, in an era that prides itself on awaking

largamente temido: había escamoteado la clave central del sueño.

El descubrimiento paralizó de espanto al aparato de las editoriales. Cuando Marissa Traven intentó convencerlo de lo insignificante del olvido, ahora que su vida y obra eran un hecho concluído, don Julián la insultó y lanzando la pipa contra el suelo fue a recluirse en la biblioteca.

Vanos fueron los ruegos, los elogios y, por último, los lamentos económicos que arrimada a la puerta esgrimiera la mujer. Don Julián supo para entonces que el fervor y la gloria habían sido vanas distracciones de un destino que ahora lo tiraba a hurgar, de bruces, en el barro del enigma.

A partir de aquel día, todo lo sucedido en esta casa es una memoria que sólo a mí me pertenece. Esa misma noche, sabedora de lo inútil de su presencia, Marissa Traven se marchó con las maletas. Al mes siguiente la imitó la servidumbre.

Por los diarios y revistas que don Julián ya no leía, fui enterándome de los rencorosos epitafios que algunos escritores apuraron con su nombre. La locura, como fin previsible pero inevitable del genio, fue el comentario más piadoso. Impuntual y torpe, una revistilla se aventuró con el lamento de que eran víctimas de una bien montada estafa.

Felizmente, en una época que se precia por despertar con ídolos que a la tarde perecen, el olvido cayó sobre nosotros. Recorrió el parque, los salones y por último se apostó en el gran portón de la casa.

Por una fatalidad que jamás quise entender, yo era culpable de la suerte de este hombre que, noche tras noche, lanzaba alaridos de animal feliz o de ángel atrapado

with idols that perish by noon, oblivion descended upon us. He moved through the park, the drawing rooms, and finally took up his position in the grand entryway to the house.

Due to a fatality that I never wished to understand, I was responsible for the fate of this man who night after night let loose the cries of a happy animal or of an angel trapped in a cave. Because of that, I knew it was my duty to stay with him, to be faithful to him, until in his gloom the ray of memory shone anew.

I had to make it through harsh, unbearable days, when it happened that Don Julián had not touched the food I would leave for him at the door. A deadly will-lessness took hold of my spirit. I felt unfit to breathe, to live. For having caught a glimpse of the destiny of another.

Gloomy, as though I walked to an encounter with my own body, I wandered through the grounds, through the house, through the garden in back looking for firewood or for some task that would distract me from my fate. Nothing can compare to my elation on finding the plates empty, their contents devoured, the useless silverware forgotten. Then I dashed joyously to prepare my own ration because I knew that the wounded one, the defeated one had risen to face the enigma, to wrench from its hands the key that would free us from hell.

It will be understood that, due to the altercation with Marissa Traven, I was denied access to the library. My reading, thus, was limited to a dozen books that Don Julián used to reread in the living room next to the fireplace while drinking a glass of cognac warmed by the flames. I never attempted to return to his novel which I kept hidden like a sin in my room, wrapped in

en una caverna. Por lo mismo, supe de mi obligación de permanecer con él, de serle fiel hasta que en su tiniebla reluciera de nuevo el rayo del recuerdo.

Días insoportables, ásperos, tuve que sortear cuando constataba que don Julián no había tocado el alimento que solía dejarle junto a su puerta. Un desgano mortal ganaba mi espíritu. Me sentía indigno de respirar, de vivir. De haberme asomado al destino de otro.

Oscuro, como si anduviera al encuentro de mi propio cuerpo, deambulaba por el parque, por la casa, por el jardín trasero en búsqueda de leña o de alguna tarea que distrajese mi suerte. Nada podía compararse a mi alegría de encontrar los platos vacíos, devorados, olvidados de los cubiertos inútiles. Entonces, feliz corría a preparar mi ración, porque sabía que el herido, el derrotado, se había levantado a darle cara al enigma, a arrancarle de sus manos la llave que nos libraría del infierno.

Se comprenderá que a raíz del altercado con Marissa Traven, me fue negado el acceso a la biblioteca. Mis lecturas, por lo tanto, se limitaron a una decena de libros que don Julián solía releer en la sala, junto al fuego de la chimenea y bebiendo de una copa de coñac que abrigaba la lumbre. Jamás intenté volver sobre su novela que, como un pecado, escondía en mi pieza, envuelta en periódicos desde aquella fatídica noche.

Para no agotar las lecturas, copiaba de los libros sus mejores páginas. Me supongo que los copié íntegramente a unos cuantos. En esta tarea ahondé en la reflexión, lo que equivale a decir en la tristeza. Sólo mi corazón y esta madrugada saben de mi abnegación por este hombre que, en su cárcel, lo único que aguardaba era el resplandor de un recuerdo. Cuántas veces, derrotado, me vi al borde de abandonar la casa. Llegaba hasta el por-

newspapers since that ill-fated night. In order not to run out of reading matter, I copied out the best pages of the books. I suppose that I copied a few in their entirety. While at that task I buried myself in reflection, which is the same as saying in sadness. Only my heart and this early morning know of my abnegation for this man who waited in his prison for just one thing: the dawning of a memory. How many times I saw myself, defeated, on the verge of leaving the house. I got as far as the entryway, spied the lights, the bustle of the city that had grown around us; but I looked back, thinking of Don Julián who, for being faithful to his writing, was left alone, filthy, with his hair and beard brutally aged, with fierce nails that emerged from his hands, just as I found him the night that is the motive for this tale.

I remember that I chopped wood that day until well into the afternoon. I gathered up an armload and carried it to the kitchen for breakfast the following day. When I returned to the garden behind the house, I looked at the sky and decided that it probably wouldn't rain that night. Nevertheless, I stacked the wood and protected it from the rain with some sheets of tin. The work done, I thought it best to take some logs to the chimney and to continue copying Dante's *Inferno,* convinced that there is no hell worse than the loneliness of the night with one's eyes open wide. I bent over to pick up the wood and felt a pain in my back so intense that it paralyzed me instantly. I looked around in a futile search for help. I shut my eyes tight and felt two tears mixing with the sweat on my face. Panting, I managed to go as far as my room and to collapse on the bed. I don't know how long I remained face down, but the pain let up and I felt heat where before I had felt the cold steel

tón, entreveía luces, el tráfago de la ciudad que había crecido alrededor nuestro; pero volvía los ojos atrás pensando en don Julián que, por ser fiel a su escritura, se quedaba solo, sucio, con el pelo y la barba brutalmente envejecidos, con uñas feroces que surgían de sus manos, tal como lo encontré la noche que es motivo de este relato.

Recuerdo que aquel día partí leña hasta bien entrada la tarde. Recogí una brazada y la llevé a la cocina para el desayuno del día siguiente. Cuando volví al jardín trasero de la casa, miré al cielo y dudé si llovería a la noche. Sin embargo, apilé la leña y la protegí de la lluvia con unas latas. Terminado el trabajo, creí de lo mejor transportar unos leños hasta la chimenea y proseguir en la copia del Infierno del Dante, convencido de que no hay peor infierno que la soledad de la noche y con los ojos abiertos. Me incliné a recoger la leña y sentí en mi espalda un dolor tan intenso que me paralizó en el acto. Miré a los costados en busca de una ayuda inútil. Apreté los párpados y sentí dos lágrimas mezclándose con el sudor de mi rostro. Jadeante pude llegar hasta mi habitación y tumbarme en el lecho. No sé del tiempo que permanecí de bruces, pero el dolor aflojó y sentí calor donde antes había sentido el frío acero de unos dientes. Aliviado, me distraje en interpretar las escenas que la humedad dibujaba en el cielo raso. Entonces pensé en la novela de don Julián, que yo guardaba, oculta, entre unas cajas. Tomándola entre mis manos, la libré de su envoltura y la encontré límpida, inocente de todo cuanto había sucedido entre nosotros. Me incorporé y salí al jardín con la intención de dirigirme hasta la chimenea y releerla esa misma noche. Pero el fastidio de la espalda y la suavidad del jardín me empujaron a tirarme en el césped, boca

of teeth. Relieved, I amused myself by interpreting the scenes sketched by the damp in the ceiling. Then I thought of Don Julián's novel that I had put away, hidden among some boxes. Taking it between my hands, I freed it from its wrapping and I found it limpid, innocent of all that had occurred between us. I got up and went into the garden with the intention of going to the fireplace and rereading it that very night. But the bothersome feeling in my back and the softness of the garden urged me to lie there, face down in the grass. Taking advantage of the last glimmer of light, I tried to read a few pages.

I also remember that the pain returned from time to time and didn't permit me to concentrate on reading, in spite of my efforts. Every little while, I returned to gazing at the thickets, at the wormeaten walls of the house where, at that time of day, Don Julián would be trembling with loneliness as he felt the night approach. More than once I stopped to contemplate the young pine that grew stubbornly in the middle of the garden and the ruins. The pine that Don Julián had ordered brought and planted in the garden, not as a copy of the one on his father's hacienda, but in honor of the one in his novel, of the pine that had brought success into his life. The two of us were strangers in this house, I thought, and nevertheless, the two of us now shared the same prison. I saw it standing alone, growing in the night and, a few steps beyond, I saw the handle of the axe that, because of the pain, I had forgotten to put away that afternoon.

I don't know exactly when I fell asleep, thanks to fatigue, just as I don't know whether the terrible storm unleashed was from this side of the dream or beyond;

abajo. Aprovechando los últimos fulgores del sol intenté leer unas cuantas páginas.

También recuerdo que el dolor volvía de a ratos y no me dejaba concentrar en la lectura a pesar del esfuerzo. A cada momento recogía la mirada de las malezas, de las paredes carcomidas de la casa donde, a esa hora, don Julián debía temblar de soledad al presentir la noche. Más de una vez me detuve a contemplar al joven pino que obstinado crecía en medio del jardín y del derrumbe. El pino que don Julián había ordenado traer y plantar en el jardín, no como una copia al de la hacienda paterna, sino como un homenaje al de su novela, al pino que había acarreado a su vida el éxito. Los dos éramos ajenos a esta casa, pensé, y sin embargo, ahora los dos compartíamos el mismo encierro. Lo vi solitario, creciendo a la noche y unos pasos más allá, vi el mango del hacha que, a causa del dolor, yo había olvidado guardar esa tarde.

No sé exactamente en qué momento me dormí a fuerza de la fatiga, como tampoco sé si la terrible tormenta desatada era de éste o del lado del sueño; lo cierto es que vi nuevamente el escamoteado final de la novela: El hombre irguiéndose bajo la negra silueta del pino. Empapado, iluminado a ratos por el chasquido azul de los relámpagos, contemplé su silueta buscando agazapada la entrada de la casa. Luego, escaleras, largos corredores como túneles que temblaron con el estrépito de los truenos y de los pasos. Por fin, al fondo, la luz del escritorio filtrándose por la puerta entornada. Para entonces, el escándalo de mi corazón borró al de la tormenta. Con esperado horror comprobé que no sólo era espectador sino también el actor del sueño. El agua chorreaba por mi cara, por mis hombros y se escurría por el pesado

what is certain is that I saw again the hidden ending of the novel: the man straightening up under the black shape of the pine. Soaked, illuminated from time to time by blue streaks of lightning, I watched his crouched shape searching for the entrance to the house. Then, stairways, long corridors like tunnels that shook with the clatter of thunder and footsteps. Finally, at the rear, the study light filtering through the half-opened door. By then the pounding of my heart overwhelmed that of the storm. With horror, as one might expect, I realized that I was not simply a spectator but also an actor in the dream. The water streamed down my face and my shoulders and ran along the heavy axe handle pushing against the door. There sat Don Julián, in the midst of the vertigo. From his cry, from the clenched hands that he raised to his face, I knew that he had found at last the tiny error that was the key to his dream. But I swear, in this early morning, I swear that it was not pain but reconciliation I saw in his eyes as I approached:

Because the black shape of the man has jumped down from the wall, he looks from side to side, and feverish, with frenzied, mud-covered hands, he exhumes an axe from the black and secret bowels of the earth.

mango del hacha que empujó la puerta. Allí estaba don Julián, sentado en medio del vértigo. Por su grito, por las manos crispadas que llevó a su rostro, supe que por fin encontraba el mínimo error que era la clave de su sueño. Pero juro, en esta madrugada juro, que no fue dolor sino reconciliación lo que vi en sus ojos mientras me acercaba:

Porque la negra silueta del hombre ha saltado del muro, mira a los costados y afiebrado, con las manos frenéticas de barro desentierra un hacha de las negras y secretas entrañas de la tierra.

Ana The Human Ball

Raúl Pérez Torres

When we least expected it Demetrio, the knife-thrower, said yes, that the little midget had to be punished.

Julio and I, we're the ones who juggled on the bicycle, felt real bad because the midget spent all her time in our dressing room crammed with straw mats and old papers, shining our boots and the bicycle axle (Julio just called it a cycle because the truth is, there was nothing "bi" about it), the spokes around the little wheel, the brake on the handlebars, the center bolt, and it was kind of nice watching her, with that twisted body of hers, that trunk of uneven stone, those legs that looked like the branches of a betibe, those shriveled up fingers that she couldn't stretch all the way out, how she walked like a puppet, one step loose and the other stately, working away at my boots and Julio's with a rag she got from Marisol, the fat lady, the fattest in the world, the old witch who took care of the circus chicken coop and ate twenty-five eggs a day, shell and all, on account of the calcium she used to say when she could talk.

We'd stolen the little midget on our last trip to

Ana la pelota humana

Raúl Pérez Torres

Cuando ninguno de nosotros se esperaba, Demetrio el de los puñales dijo que sí, que había que castigar a la enanita.

A Julio y a mí, que hacíamos los malabares en la bicicleta de una rueda, nos dio mucha pena, porque la enana se pasaba todo el tiempo en nuestro camerino lleno de esteras y papeles viejos, sacándole lustre a las botas, al eje de la bicicleta (que Julio solamente la llamaba cleta porque, en realidad, no tenía nada de bici), a los radios de la llantita, al freno del manubrio, al cabezote del centro, y daba un poco de gusto mirarla con ese cuerpo deforme, ese tronco de piedra irregular, esas piernas que parecían ramas de betibé, esos dedos atrofiados que nunca salieron del todo, ese caminar estilo títere, con un paso suelto y otro solemne, dándole a mis botas, a las de Julio con un trapo que le había regalado Marisol, la gorda más gorda del mundo, vieja de mala entraña que atendía el gallinero del circo y se comía veinte y cinco huevos diarios con cáscara y todo, por lo del calcio, según decía cuando podía hablar.

A la enanita la habíamos robado en el último viaje a Esmeraldas. Auque no creo que lo más apropiado sea

Esmeraldas. Except that I don't think that's the best way to put it because, the way I see it, if something's going to be missed by somebody then you can steal it, but she didn't belong to anybody, she was all alone and woebegone in the world. Irma, the Blue Serpent, found her wandering around near Marco Porcio's cage, looking for garbage. Irma dragged her by the ear to Demetrio. I remember that at the time he was counting the money that had come in that day, and everybody waiting around, hoping that this time he'd give us a little extra to celebrate our coming to the Coast.

"What's this," Demetrio had said, taking her by the arm and turning her around and around. "It's a little girl," Irma said. "I found her eating Porcio's bananas." "Fine, fine," said Demetrio after looking her over. "She'll stay with us. Julián and the Chinaman will take over, teach her something useful."

When Demetrio made a decision it was final: My back was real familiar with his sharp knives, and so were Belinda Gold Teeth's legs, and so was Aparicio's face, he was the black horse trainer and he had a deep scar that reminded us all the time that we'd better do as we were told, in the end we ate because of him and if we ever had an opportunity to get out and learn about how love worked in the towns it was because of Demetrio, because of his generosity. Without him we were nothing. What would I do, for example, if Demetrio took away my wheel, boots, red silk pants, velvet cap? What would become of Julián if Demetrio didn't give us permission to put his name on the posters we painted to hang at the busiest corners in the towns? What would happen to Belinda Gold Teeth if Demetrio hid the rope she flew on through the air, hanging tight with her teeth?

decir esto, porque se roba algo cuando ese algo hace falta a alguien, digo yo, pero ella no pertenecía a nadie, estaba sola y desgualingada en el mundo. La encontró Irma, la Serpiente Azul, merodeando cerca de la jaula de Marco Porcio en busca de desperdicios. Irma la trajo de una oreja donde Demetrio. Recuerdo que en ese momento él estaba contando el dinero que había producido el día, y todos a la expectativa esperando que, esta vez, nos regalara una moneda más para celebrar la entrada a la Costa.

«Qué es esto» había dicho Demetrio tomándola por un brazo y dándole vuelta una y otra vez. «Es una niña» contestó Irma «la encontré comiéndose los plátanos de Porcio», «Está bien, está bien» dijo Demetrio luego de examinarla, «se quedará con nosotros», Julián y El Chino se encargarán de enseñarle alguna cosa que nos sirva».

Las decisiones de Demetrio eran inapelables: mi espalda conocía bien sus cuchillos afilados, también las piernas de Belinda Dientes de Oro los conocía y también el rostro de Aparicio el negro domador de caballos tenía una cicatriz profunda que nos recordaba a cada instante la obediencia que se le debía, al fin y al cabo comíamos por él y si alguna vez salíamos a conocer los caminos del amor en los pueblos, era por Demetrio, por su generosidad. Sin él no éramos nadie. ¿Qué me haría yo, por ejemplo si Demetrio me quitara la rueda, las botas, los pantalones de seda roja, la cachucha de terciopelo, ¿qué sería de Julián si Demetrio no autorizara que se escribiera su nombre en los cartelones que pintamos para poner en las esquinas más concurridas de los pueblos?, ¿qué sería de Belinda Dientes de Oro si Demetrio escondiera la soga con que se daba vueltas en el aire asida de sus

What would happen to Aparicio if Demetrio sold the horses, or killed them to feed the World's Fattest Fat Lady who hid him under her skirts when the municipal tax people came around to collect? What would happen to poor Conchita Espinal if Demetrio took it into his head to run his knives through her belly instead of a few cemtimeters from her body during the main act that, day after day, night after night, took our breath away, everybody's, and especially Juancho's, the clown who doubled as fire-swallower and who in Potosí, after a painful sickness caused by kerosene, could talk a little and said, "Conchita you, Conchita for me, you," and after that his voice went out again, just like one more torch. Yes, Demetrio was all we had, we didn't have anybody else in the world, just like the midget, and we made up a name for her before teaching her to work the trampoline, tie herself in a knot, walk on her hands, and I said to her —after talking it over with Julio— you will be called Ana the Human Ball, and her eyes turned funny just like mine do when I'm on top of the bicycle or Manuela, the circus cook, what I mean is, there was happiness there and it didn't go away except when she looked at Demetrio from a distance since she couldn't look at him from up close because she didn't reach high enough. So the day of her debut was good, even though the canvas was slippery because it had rained a lot in Sangolquí, an important town near the capital, where Demetrio knew a whole lot of people and success was a pretty sure thing.

We didn't have much of an audience for the matinee, maybe twenty or thirty people, so Demetrio put crazy Esparza in charge of announcing and he left in a very bad mood to have a few drinks "to steady my

dientes?, ¿qué sería de Aparicio si Demetrio vendiera los caballos o los matara para alimentar a la Gorda más Gorda del Mundo, que le escondía entre sus faldas cuando venían los municipales a cobrar los impuestos?, ¿qué sería de la pobre Conchita Espinal si a Demetrio le diera por ensartar sus cuchillos filudos en el vientre en lugar de hacerlo a escasos centímetros de su cuerpo en la prueba central que día tras día, noche tras noche, no quitaba la respiración a todos y, especialmente, a Juancho «el Payaso» que también hacía de tragafuegos y que en Potosí, luego de una penosa enfermedad por efecto del querosene, pudo hablar un poco para decir: «Conchita vos, Conchita para mí vos» y que luego se le apagó nuevamente el habla como una tea más? Sí, Demetrio era todo para nosotros, no teníamos a nadie más en el mundo, igual que la enana, a quien le fabriqué un nombre antes de enseñarle a darse trampolines, a convertirse en nudo, a caminar con las manos, y le dije —luego de consultar con Julio— te llamarás: Ana La Pelota Humana y a ella se le pusieron los ojos como se me ponen a mí cuando estoy encima de la bicicleta o de la Manuela la cocinera del circo, es decir, que le entró la felicidad y ya no se le salía sino cuando miraba a Demetrio desde lejos, que nunca lo miró de cerca porque no avanzaba. Entonces fue bueno el día de su debut, aunque la lona estaba resbalosa porque había llovido mucho en Sangolquí, un pueblo importante cerca de la capital, donde Demetrio tenía harta gente conocida y el éxito era casi seguro.

En la matiné contamos con poco público, creo que treinta o cuarenta personas, razón por la que Demetrio encargó la presentación al loco Esparza y se largó de muy mal talante a tomarse unos tragos «para templar el pulso», como decía, así que no pudo ver a Ana, la Pelota

hand," like he used to say, so he didn't see Ana the Human Ball who performed real good, much better that we ever expected, she jumped, she leaped, she tied herself in knots, she turned herself into a jerky little puppet and her skinny little body really did seem like a ball of putty ready to take on any shape you can imagine. Julio, Manuela, and I watched her from back stage, real happy, and when the trumpet announced the end of the act our hearts settled down like after a battle. Ana came running to us and for a few seconds I held her in the air, looking at her black face shining with sweat and sawdust, and then I put her back on the ground the way you drop a flower vase and I went out with my one-wheeled bicycle to get the audience high.

Demetrio wasn't back for the second show and Marisol sent somebody to the tavern in town to look for him. There wasn't anybody who could do his acts because Demetrio wasn't just Demetrio, the Knife-Thrower, he was also the Flying Arrow and, when he was in the mood, the Malaquitos Clown, but Demetrio sent the messenger to tell everybody that they could go to hell and that if the rain didn't stop he wouldn't come back to the circus and that fat Marisol was going to get five eggs less for fucking with him like that.

Before the evening show Demetrio got back with a few folks from town. "Everybody get ready," he said, "I want my buddies to see the best show ever." He yelled left and right sharpening the knives on a little flat, shiny rock he'd found in the Rio Blanco in Santo Domingo de Los Colorados. You could see in his face how bad off he was from drinking and Conchita Espinal started fixing coffee with brown sugar, straining it through a silk stocking. Demetrio shook, his giant body shook, his

Humana que se desempeñó muy bien, más allá de cualquier buena esperanza, saltó, brincó, se anudó, se hizo un alfandoque y su magro cuerpecillo parecía en realidad una pelota de plastilina lista para tomar la forma que se imaginara. Julio, Manuela y yo espiábamos tras bastidores con mucha alegría y cuando la trompeta anunció el fin del número, nuestras almas descansaron como después de un combate. Ana se acercó corriendo y por unos momentos la levanté en vilo mirando cómo brillaba su rostro negro de sudor y aserrín, luego la deposité en el suelo como quien deja caer un florero y salí a emborrachar al respetable con mi bicicleta de una rueda.

Para la función de especial Demetrio no llegaba y Marisol lo mandó a buscar a la taberna del pueblo. No había quién hiciera sus números, porque Demetrio no solamente era Demetrio, El Lanzador de Cuchillos, sino además era «La Saeta Voladora» y cuando estaba de humor el «Payaso Malaquitos», pero Demetrio mandó a decir con el recadero que se fueran todos a la puta madre y que si la lluvia no paraba no regresaría al circo y que la gorda Marisol tendría cinco huevos menos por tanto joder.

Antes de la función de la noche llegó Demetrio con unos cuantos del pueblo. «A prepararse todos» dijo «quiero que mis compadres vean la mejor función». Gritaba por todos lados afilando los cuchillos en una piedrita plana y brillante que recogió en el Río Blanco en Santo Domingo de Los Colorados. Fácilmente se notaban los estragos del alcohol en su rostro y Conchita Espinal se puso a prepararle café con raspadura pasado por media de seda. Demetrio temblaba, temblaba su corpachón, temblaban sus manos, el circo temblaba. —Te jodiste— dijo Julio acercándose a Conchita —en ésta te

hands shook, the circus shook."

"You fucked up," Julio said, going over to Conchita. "This time he's going to nail you." Conchita spilled the coffee and started to cry.

Demetrio's friends came in making a big commotion; the wet benches were almost full. Demetrio ordered the clowns to go out to loosen up the audience and he told us to put on our best costumes.

I fixed up Ana's dress myself, Ana the Human Ball, with Manuela's help. We combed her hair, washed her face, powdered her. Julio was against putting lipstick on her, telling us that she was just a little girl and that people didn't like it when little girls went around looking like young ladies, so we left her lips half purple and half pale and we rubbed her bony hump to get her in the mood and told her she had to be careful because the floor was wet. Then we made some jokes but Ana, bawling us out, told us in her special language, "Don't you bothering me I punching you." We were in my dressing room. I started to put my makeup on and Ana left tripping, stuffed into a purple sweater Manuela knit for her. Julio looked at me and said it'd be better if I put on the green beret because he was going on with the red one; I agreed and asked him to put a little bit of shadow on my eyes. Then I put my shoes on and helped Julio put the cycle together. We were nervous, it was like there were owls in the air, like a night for ghosts, like for thick spider webs. All of a sudden Ana came in, the Human Ball, sniveling like a wounded mouse, she clutched my tights and screamed, "I no want go out, the bad man he die Conchita."

Julio and I looked at each other and my fear bounced off his eyes and went rolling forever, like it was

clava— Conchita derramó el café y se puso a llorar.

Los amigos de Demetrio entraban con mucha algazara y las tablas mojadas estaban casi repletas. Demetrio ordenó que salieran los payasos para aligerar el ánimo de los espectadores y nos mandó poner nuestras mejores galas.

Yo mismo arreglé el vestido de Ana, «La Pelota Humana», con la ayuda de Manuela. La peinamos, lavamos su cara, la polveamos. Julio se opuso a que pintáramos sus labios, diciéndonos que era una niña y que a la gente no le gusta que las niñas se metan a señoritas, entonces la dejamos con sus labios medio amoratados y medio pálidos y acariciamos su huesuda jorobita dándole ánimos y diciéndole que debía tener cuidado porque el piso estaba mojado. Luego hicimos algunas bromas pero Ana, con tono de reproche, dijo, en su media lengua: «A yo no me moleste poque te vo a tapia». Estábamos en mi camerino. Yo empecé a maquillarme y Ana salió dando traspiés enfundada en unos mamelucos morados que se los había tejido Manuela. Julio me miró y me dijo que mejor me pusiera la boina verde porque él saldría con la roja; accedí y le pedí que me pusiera un poco de sombra en los ojos. Luego me calcé y ayudé a Julio a armar la cleta. Estábamos nerviosos, un aire buhonero, una noche como de fantasmas, como de telarañas espesas. Intempestivamente entró Ana, «La Pelota Humana» lloriqueando como un ratón herido, se agarró de mi malla y gritó: «Yo no quiero salí, el malo va a morir a Conchita».

Julio y yo nos miramos y en sus ojos rebotó mi miedo y se fue rodando para siempre, como desocupándonos. Casi sin proponernos, a un mismo tiempo agarramos la bicicleta, Julio se montó en mi espalda y fuimos

emptying us out. Almost without thinking, we grabbed the cycle at the same time, Julio got on behind me and we went directly to Demetrio's dressing room. There we found everybody outside his door, even Marco Porcio had broken through his bars, and there he was, his huge body standing straight up, waiting.

Conchita, wringing her hands, told us that Demetrio had decided to punish the little midget for not going on. We have to get in there, said Aparicio, but Irma, the Blue Serpent, was already squeezing in through a tiny crack Demetrio left open so he could breathe, and she opened the door. Demetrio was washing his face. I'll never forget his expression when he looked up and felt Aparicio's first whiplash, Aparicio, the Horse Tamer, Demetrio's eyes boiled for a minute but with the second bite from Belinda Gold Teeth, he began to howl like a cat on a roof, there wasn't much left of him by the time Marco Porcio put his hand on Demetrio's chest and even less when Conchita Espinal drove the flashing blade into Demetrio's wet forehead, and it was worse still when fat Marisol smashed an egg against his bruised face.

Poor Demetrio. Sliding from life like a rag, now he couldn't stick his knife into Ana the Human Ball. And not into anybody else either.

directo al camerino de Demetrio. Allí encontramos a todos rodeando su puerta, inclusive Marco Porcio había roto los barrotes, y su cuerpo descomunal permanecía erguido y a la expectativa.

Conchita refregándose las manos nos contó que Demetrio había dispuesto castigar a la enanita por no salir a escena. Tenemos que entrar dijo Aparicio, pero Irma, «la Serpiente Azul» ya se arrastraba por una pequeña reja que había acomodado Demetrio para el respiro, y abrió la puerta. Demetrio estaba lavándose la cara. Nunca olvidaré su rostro cuando levantó la mirada y recibió el primer latigazo de Aparicio, el Domador de Caballos, sus ojos hirvieron por un momento pero al segundo mordisco de Belinda, Dientes de Oro empezó a maullar como gato en tejado, poco quedó de él cuando Marco Porcio asentó su mano en el pecho de Demetrio y menos aún cuando Conchita Espinal clavó la hoja brillante en la frente mojada de Demetrio, y peor todavía cuando la gorda Marisol estrelló un huevo en su rostro descolorido.

Pobre Demetrio. Descolgado de la vida como un trapo, ya no podría hincar su cuchillo en Ana la Pelota Humana. Ni en nadie.

Of Two-Headed Beings and Others

Francisco Proaño Arandi

It all began months ago. Or maybe it was years. How can I be certain now? When time, real time, is passed, redundant, relentless, over the same cup of coffee, on a street corner forever the same, with routines and schedules unchanged, it loses all meaning, becomes one and the same. Is it because of the unusual, bizarre nature of my job? Or is it due to the fact that we tend to confuse ourselves with others —identification, they call it— accustomed as we are to losing ourselves in crowds, to associating with people who are time and again almost always alike? Or is it because of mirrors, perhaps? The kind that never reflects your real image but, rather, one that is always different, that with time's gradual passing becomes muddled, changed? Or does it have to do with shop windows, there, where your own image disappears as it joins those of others passing by, so that sometimes it suddenly includes parts of other faces, other bodies, or bits of objects or mannequins, in a display of mounting chaos? Who, or what, was to blame?

When did this absurd chain of events begin? The scene unfolds slowly at first; memory blurs with time,

De bicéfalos y otros

Francisco Proaño Arandi

Todo comenzó hace meses, o tal vez años. ¿Cómo podría ahora determinarlo? El tiempo, el verdadero tiempo pierde importancia o se vuelve uno solo cuando transcurre, reiterado, tenaz, al borde de la misma taza de café, en la esquina de siempre, al interior de repetitivos trajines u horarios. ¿A quién, o a qué, podría culpar de esto que ahora me pasa?, ¿podría atribuirlo a la atroz, específica característica de mi trabajo?, ¿o podría achacarlo a esa tendencia que tenemos a confundirnos —identificarse lo llaman— con los demás, acostumbrados como estamos a vagar entre la multitud, entre gentes que son una y otra vez, casi siempre, las mismas?, o podría culpar, quizás, a los espejos, esos que nunca te devuelven tu verdadera imagen, cambiante ésta siempre, avejentada en un paulatino decurso, trastrocada, nunca la misma; o a las vitrinas, allí donde tu imagen se torna invisible, superpuesta a las de los demás transeúntes, hecha a veces, inopinadamente, de partes que son de otros rostros o cuerpos, o de objetos o maniquíes, siempre en un caos creciente, ¿a qué o a quién podría culpar?

¿Cómo comenzó esta disparatada secuencia? Es, primero, una escena lenta; la recuerdo difuminada en el

images become hopelessly distorted. But, in the end, there are two or three sensations that remain intact, precise: the impression of a dingy office —my office; the mocking looks of my colleagues; and, on the table, the revealing memorandum. Yes, I remember it: It contained instructions regarding a secret, sensitive mission. But both the recipient and his co-wokers — those with whom he shared a job or a destiny— all of us knew perfectly well that the phrase «secret, sensitive, mission» was no more than a routine euphemism. Secret, sensitive, that was true, but, in view of my rank, easy, ordinary, even insulting. You will understand now why I made a point earlier of my colleagues' mocking looks. But was there any reason to suspect, then, that this mission would also be my last? Only later, much later, now, in fact, have I come to this realization and, by doing so, it seems I've sealed my fate. But, first, let me explain something: I am —or, rather, was— a private investigator, or an undercover agent, a plain-clothes man, if you will, an informer, a traitor, a detective perhaps?

The assignment involved tailing Jiménez; J., according to the dossier. Those who read these words may be surprised by the casual way I put his name on record, just like that, as though you and I and everyone knew him: Jiménez. Later, perhaps, if I manage not to confuse things, the reason will become clear. For the moment I will try to stick to the facts.

The Café Cádiz is in the very heart of the city, a few meters from the Plaza del Teatro. When I entered, turning sideways to push through the swinging doors, it occurred to me that this had been one of the few facts included in the memorandum. Beyond that, there was

tiempo, distorsionadas las imágenes al extremo; pero de todo, permanecen intactas, nítidas, dos o tres percepciones: la impresión de la sucia oficina —*mi* oficina—, la mirada burlona de mis colegas: sobre la mesa, el revelador memorándum. Sí, lo recuerdo: la instrucción hablaba de una secreta y delicada misión, pero tanto el suscrito como sus compañeros de trabajo o destino sabíamos bien que eso era sólo un rutinario eufemismo, «una secreta y delicada misión», es cierto, *delicada, secreta,* pero usual, fácil, ofensiva incluso a mi rango. Comprenderán ahora por qué consigno más arriba la mirada burlona de mis colegas. Quién podía sospechar, entonces, que esa misión sería, a la vez, la última. Sólo después, mucho después, es decir ahora, lo percibo, y me parece, al hacerlo, que pongo sobre mí mismo una lápida. Pero antes, permítanme una aclaración: mi trabajo es, bueno, fue, el de investigador, o pesquisa, persecutor si se quiere, soplón, infidente, ¿detective, tal vez?

Se trataba de vigilar a Jiménez: *J,* en el expediente. Quien lea estas páginas se sorprenderá de la familiaridad con que consigno su nombre: así simplemente, como que usted y yo, y todos, lo conocemos: Jiménez. Luego, tal vez, si logro no confundirme, será posible que lo comprenda. Por ahora, trato de ser preciso en la relación de los hechos.

El Café *Cádiz* está en pleno centro, a pocos metros de la Plaza del Teatro. Al penetrar en él, en el instante de volverme sesgo para traspasar los dos bastidores que tiene a la entrada, pensé en que éste había sido uno de los pocos datos incluidos en el memorándum. Los demás eran, apenas, un nombre, la dirección de una oficina, una fotografía. En tanto me sumergía en la atmósfera densa, crepuscular, donde emergían mutiladas, borro-

only a name, an office address, a photo. As I penetrated that dense, murky atmosphere, with its apparently endless sea of mutilated faces and torsos emerging from the haze, I thought of the hours I'd spent with J's picture, trying to fix his image in my mind. I remembered that his face lacked a single unique feature, a spark or an expression that might have made it memorable. It was a face like so many others, dull, stupid, projecting a state of calm or inertia that was fairly awesome. The amorphous, ordinary gaze seemed to exist at some remove from the face, as though it had been pasted on. It seemed to me, at first, that the assignment was up against —or that it might well come up against— an unforeseen obstacle: Given the innocuous nature of his features, it was possible that this individual, this shadow would simply blend into others that were similar or seemed similar to me. That possibility posed a potential risk, obviously: By persistently, doggedly following J. among the many shapes his was capable of mimicking, he might well begin to suspect that he was being watched, thus putting me in a dangerous position from the outset. I thought of the tedious hours to come: Stick with J., that was it, tenatiously; record his movements conscientiously, no matter how repetitive or monotous those might prove to be; present a daily report, a communique; open a file filled with lists of times, dates, names, points of reference, etc. Apprehensively, I gazed down the gloomy length of the cafe. I realized, with a sinking feeling, that for a period of time —I had no idea how long— this would be my general headquarters, my secret home, the place where I, in turn, would also become a mimic. You understand. You can imagine.

sas, un sinfín de caras, de torsos, pensé en las horas que había pasado frente a la fotografía de *J*, tratando de grabar en mi mente sus rasgos. Recordé su cara huérfana de cualquier impresión singular, carente de un fulgor o un rictus que la tornaran memorable, un rostro como tantos, inexpresivo, estúpido, casi sobrecogedoramente tranquilo o inerte; la mirada, como distanciada del rostro, sobrepuesta nada más a éste, amorfa, cotidiana. Me pareció, en ese primer instante, que la misión tropezaba, que podía tropezar con una imprevista dificultad: dada la inocuidad de sus rasgos, era posible que la imagen o silueta de *J* se me confundiera entre las muchas que podían asemejársele o parecer ante mí como tales. Ello, no era difícil, abría lugar a un hipotético riesgo: el pertinaz o desesperado perseguimiento de *J* entre tanto perfil donde tenía la posibilidad de mimetizarse, podía inducirlo a sospechar que se le vigilaba, lo que pondría en grave peligro mi cometido, aun en su inicio mismo. Pensé en las penosas horas que me esperaban: perseguir a *J* sin más, empecinadamente; anotar con prolijidad de hormiga sus movimientos, por repetidos o monótonos que éstos fuesen; presentar cada día un informe, un parte; iniciar un opaco expediente, con inclusión de horarios, fechas, puntos de referencia, nombres, etcétera. Con aprensión, reconocí la vaga extensión del café; supe con tristeza que, por un cierto tiempo, no sabía cuánto, éste sería mi cuartel general, mi casa secreta, el ámbito donde yo también, a mi vez, habría de mimetizarme: usted conoce, usted se imagina.

Cegado por ese abrupto paso entre la luz de la tarde y la oscuridad del café, avancé por un corredor estrecho, a cuyos lados, inverosímilmente, vislumbraba mesas y, sentados a ellas, unos como fantasmagóricos comensa-

Blinded by the sudden change from afternoon sunlight to the cafe's dim interior, I walked along a narrow corridor. On either side I noticed tables and, curiously, seated at these, what appeared to be ghostly diners, that is, some semi-human blots that struggled desperately to make their presence visible in that light. It took some time before I realized that those simian figures were arms and legs, heads and caps. There were also tiny points of light glowing in the dark, and these turned out to be eyes. When I had finally become accustomed to the reigning gloom, it became clear that the corridor leading from the entryway was actually a labyrinth whose unexpected twists only experienced waiters or regular customers were adept at recognizing. I saw other passages, parallel to or joining the main one, as well as open spaces, rows and geometrical arrangements of tables, chairs, and customers; I also saw that there were small booths, reserved, separated from other areas by short, smokey curtains. I noticed screens in unusual places, swinging doors in the distance that may have concealed secret environs. I floated in a murmur of voices, a clinking of spoons and glasses. A thousand bursts of laughter, originating from the far corners of the dining room, slid toward my flesh. A range of odors impregnated my jacket and were absorbed in its patina. I automatically made an inventory of the various sources of these: thick cigarette smoke, soot coating the walls, fried foods, liquor, secret elixirs, perfumes, armpits. At the end of one section of the room dimly lit by bulbs enclosed in red lampshades, there was a counter and, behind it, facing me, a fat man with severe features stared at me searchingly. Now I know that every man, all beings, in short, have their own

les: es decir, unas manchas semihumanas que pugnaban, agónicas, por acentuar su presencia en la luz: unos como esbozos simiescos que después supe eran brazos y piernas y aun cabezas o gorras: unos como puntitos brillantes en la oscuridad que después supe eran ojos. Cuando pude acostumbrarme a la penumbra reinante me di cuenta que el corredor de la entrada era apenas un ensayo de aproximación al verdadero laberinto: allí, donde sólo los camareros muy antiguos o los clientes contumaces simulan vocación para reconocer los imprevisibles caminos. Vi, paralelos o yuxtapuestos, otros pasadizos, espacios abiertos, hileras o concentraciones geométricas de mesas, sillas y parroquianos; vi también que había salitas reservadas, separadas del resto por cortinillas humosas; observé biombos en inopinados lugares, bastidores a lo lejos, encubriendo acaso ámbitos no revelables. Floté en el rumor de las voces, en el tintineo de las cucharas y los vasos; resbalaron hasta mi piel las mil carcajadas reconocibles en distintos ángulos del salón; impregnaron mi saco, en renovada pátina, los multiplicados olores; inventarié, automáticamente, sus disímiles fuentes: el humo denso de los cigarrillos, el hollín rampante de las paredes, las frituras, las espirituosas bebidas, los secretos elíxires, los perfumes, los sobacos. Frente a mí, al cabo de un tramo del salón semialumbrado por lámparas rojas, tras el mostrador, un gordo de rasgos severos me miraba inquisitivamente. Ahora sé que cada hombre, todo ser en definitiva, tiene su propia, específica manera de reaccionar ante cualesquiera de las múltiples posibilidades o situaciones desconocidas que le son planteadas. El gordo tras el mostrador se aparecía hierático, duro, entrecerrando los ojos en una mirada chinesca, una mirada desde la cual lograba tal vez una

particular way of reacting to any of the many, unfamiliar possibilities or situations they come up against. The fat man behind the counter looked like a high priest, his eyes half-closed in an Oriental expression, and with this look he probably achieved the ideal vantage point from which to measure precisely the intentions of the unknown customer who, at that moment, such was my case, presented himself. I smiled timidly, nodded my head a little by way of greeting, but the fat man continued to stare, unmoved. Nonplussed, I headed for the nearest table, sat down, and waited for someone to take my order. Only then, seated and possessing something like my own angle of observation, did I become conscious of the reality of the cafe located slightly below sidewalk level and thereby combining the feel of a street with that of a basement, a reality much like that of the city itself. As I drank from the glass brought by the waiter, I made a quick mental sketch of what I assumed to be the layout of the locale. That helped me to feel at ease or, better yet, to incorporate myself visually and physically into its twilight dimension. I even became accustomed to the fat man, absorbed, introspective, gazing at me from above.

I remember how, in those first minutes, I worked out a long-term plan. Nothing in that plan's simple design suggested its unforeseen consequences. I proposed to go to the cafe every single day, without fail, until I became just one more regular customer, until my presence became so ordinary, so expected, invisible, practically speaking, an everyday element recurring in the vision of others, like the ever present mirrors or tables, or the waiters who appear from time to time unnoticed, it doesn't even matter if they overhear a

perspectiva adecuada para medir con exactitud las intenciones del parroquiano no conocido que en ese instante, tal era mi caso, se le presentaba. Sonreí tímido, incliné un poco la cabeza en señal de saludo, pero el gordo siguió mirándome, impertérrito. Confuso, busqué la primera mesa en mi camino y me senté a la espera del camarero. Sólo entonces, una vez sentado y posesionado de algo así como mi propio ángulo de observación, tomé conciencia de esa realidad del café que corría paralela a la de la ciudad, a medias entre la calle y el sótano. En tanto ingería la bebida traída por el mesero, dibujé mentalmente un croquis rápido de la presumible disposición del local. Esto sirvió para serenarme, vale decir para incorporarme visual y físicamente a su crepuscular dimensión; aun acepté, sobre mí, tangencial, la mirada absorta, introspectiva, del gordo.

Recuerdo cómo, en aquellos primeros instantes, me propuse a mí mismo un dilatado ejercicio. Lejos estaba de intuir, en lo sencillo del plan, sus impredecibles consecuencias. Me propuse no faltar un solo día al café, hasta convertirme en uno más de sus obligados parroquianos, hasta tornar mi presencia, de tan usual o cotidiana, casi invisible, consuetudinaria, repetida en la visión de los demás tal como los espejos o las mesas de siempre, como el intermitente aparecerse de los camareros de quienes no tememos nos escuchen, a tal punto los hemos involucrado en la disposición inhumana de los objetos que nos sirven.

Acorde con mis escrúpulos de funcionario emprendí la tarea con tesón y renovado ánimo. Durante varios días no pude distinguir entre los habitués del café al presumible objeto de mis pesquisas. En el ínterin, registraba notables progresos en el programa trazado: los mozos

conversation since they've been relegated to the realm of inanimate objects whose function is to serve.

As I was a conscientious worker, I approached this assignment with diligence and energy. For several days I was unable to pick out, from among the regulars at the cafe, the individual who was to be the subject of my investigation. Nevertheless, I made considerable progress in the plan I had proposed: The waiters on duty soon learned my preferences— the amount of sugar to put in my coffee, for example, the exact measure of liquor I deemed appropriate, this or that dish or dessert, the table I always sat at. Some customers began to accept my presence and one, in an attempt to get to know me, struck up a conversation. I even imagined that the fat man behind the counter —his face seemed to have relaxed slightly— might eventually respond to the vague greeting I directed his way each time I entered or left the establishment.

Finally, one night, I saw him. He may have been there on previous occasions, unnoticed among the time-honored regulars. But it was only on the night in question, at that very moment, that I recognized him, as though the image memorized from the photo had waited, buried in my unconscious, in order to step forward just then, clear, precise, his features standing out from the rest in sharp relief. The sensation I had is probably similar to what one feels when he has looked at a painting for a very long time and only then, at the end of an immeasureable period, realizes with surprise that a new shade or tone, a figure previously unseen, something like a different painting waits, hidden in the other, the obvious one, or a face, perhaps, a cryptic face whose eyes, mimicked by the chromatic chaos of the

de turno aprendían rápidamente mis preferencias: la cantidad de azúcar en el café por ejemplo, la medida exacta de licor a mi entender conveniente, tales o cuales frituras o dulces, la mesa acostumbrada; algunos clientes comenzaban a verme con familiaridad, alguno ensayaba una conversación de reconocimiento; incluso el gordo del mostrador —tal parecía la leve distensión de su rostro— se me antojaba proclive a contestar el imperceptible saludo que le dirigía cada vez que entraba o salía del establecimiento.

Al fin, una noche, lo vi. Era posible que hubiese estado allí los días anteriores, confundido entre los consabidos asiduos; pero fue sólo en esa noche precisa, en el momento preciso, que su presencia me fue revelada, como si la imagen aprendida de su biografía hubiese esperado soterrada en el inconsciente, para aflorar sólo entonces: clara, definitoria, destacándose de los demás su perfil, en un luciferino relieve. La sensación podía ser similar a esa que uno tiene cuando ha mirado un cuadro por un tiempo asaz dilatado y únicamente al cabo de un lapso no mensurable reconoce, sorprendido, un matiz o una coloración nuevos, una figura antes no descubierta, un como distinto cuadro confundido en el otro, el visible, o un rostro quizás, un rostro arcano cuyos ojos, mimetizados en el maremágnum cromático de la pintura, parecen haber sido puestos por el artista precisamente para registrar, desde una dimensión oculta, nuestra sorpresa o nuestro sobrecogimiento. Así fue que lo vi: real, absurdamente real: traspasado por obra de fantasmagórica alquimia, de la descripción fría y casi matemática del memorándum, a la vertiginosa dimensión de los vivos. Tal —dicen— suele ser —sólo que en un grado mayor de exaltación— lo que siente un creador de ficciones

colors, seem to have been placed by the artist for the sole purpose of eliciting, from some secret dimension, the viewer's surprise or awe. It was just so that I saw him: real, absurdly real; transported as if by magic, from the cold and almost mathematical description in the memorandum to the dizzying dimension of the living. Such, they say, is the sort of thing —though the wonder is more intense— that a fiction writer experiences when, suddenly, without warning, he sees, walking by, in the flesh, an exact copy of a character he will later create in a book, though his character will be far more profound; when he recognizes, astonished, that as his character moves before him, alive, the surroundings are also those dreamed, or foreseen, during sleepless nights, as though this situation were being wholly reconstructed from unpredictable elements found in dreams, or, the reverse, as though another reality, implacable, inescapable, complete, were infiltrating this one and, from that moment on, threatening, voracious, all the future moments of the sleeping being. It was thus that I saw him move past me. As he walked away —I was standing at my table— I made an involuntary gesture not my own, a gesture that, in some incomprehensible fashion, reproduced the peculiar movement of the other.

Once my field of study was identified, the object of my investigation located, his sparse record in our files checked, verified, brought up to date, I defined the next phase of my plan. It was evident that my presence had become thoroughly familiar in the kaleidoscopic ambiance of the cafe. A few short weeks was all it had taken, something that occurs frequently in places like that, such is their contingency, their perpetual fluidity,

cuando de manera abrupta, violenta, mira cruzar en carne y hueso al preciso personaje que luego habrá de reproducir de una manera harto más profunda en un libro, cuando reconoce, desorbitado, que en tanto su personaje se desplaza vivo ante él, la atmósfera en torno es, asimismo, la soñada o prefigurada en secretas vigilias, como si la situación implícita se reconstruyese toda desde las inopinadas estructuras del sueño, o al revés, como si la realidad se infiltrase totalizadora, implacable, ineludible a partir de ese instante, amagando voraz todas las sucesivas instancias del ser soñante. Así lo vi cruzar. Mientras se alejaba —yo estaba de pie ante mi mesa—, involuntariamente esbocé un gesto no mío, un ademán que en forma inasequible reproducía el peculiar movimiento del otro.

Una vez delimitado mi campo de trabajo, ubicado el objeto de la investigación, verificado, chequeado y actualizado su exiguo expediente en nuestros archivos, concreté la siguiente fase del plan. Era evidente que mi presencia se había vuelto por demás familiar en el calidoscópico ámbito del café: habían bastado para ello unas breves semanas, cosa que suele ser frecuente en tales sitios, tal es su contingencia, su fluidez perpetua, la escasa concentración en el tiempo que ofrecen, puesto que tan antiguo o ancestral puede ser el parroquiano que los frecuenta por años, como aquel que apenas ha aparecido la víspera. Consciente de esta realidad creí llegado el momento de poner en marcha la subsiguiente etapa de mi proyecto. Contemplaba, en esencia, un movimiento de avance hacia Jiménez, una especie de reconocimiento o plan de incursiones fugaces, pero concretas, al campo mismo del enemigo. En forma paulatina, es decir a través de un lapso no determinado de días, en un

their imperviousness to time, given that the old or ancestral can be the customer who frequents it for years or one who has appeared only the day before. Conscious of this fact, I decided that the moment had come to put the next phase of my plan into action. Essentially, I intended to close in on Jiménez, to effect a kind of reconnaissance, a series of brief, concrete incursions into the enemy's own territory. Gradually, that is, over an unspecified number of days, I approached him with increasing, though calculated, frequency. I managed to move closer to him, to his table, to the air he breathed, at the edge of that sphere of influence every man creates around himself, like a series of concentric ripples that radiate from a central point. I tried to infiltrate his world until I was very near, but so ordinary that I would go unheeded by J., become the world of his shadow, perhaps, that appendage of ours to which we never pay adequate attention (a lack of vigilance, let us say), the world of the regular customers of the cafe one frequents, those profiles that one has seen so often that they become transparent. In such a way —or so I imagined— the astute bishop is placed at a point tangential, invisible, as, off to the side, the player waits for his adversary to expose his flank or reveal his secret intentions.

In time it was no longer difficult for me to sit at a table near his in the most natural way, or to pass by him outside, familiar with his unvarying itinerary through the usual streets. I never worried about being discovered, aware as I am of my lack of identifying characteristics —an essential prerequisite in my line of work. It was Jiménez alone whose presence was real to me, vulnerable, always revealed by his routine disguise,

creciente aun cuando medido desplazamiento, procuré, cada vez más, situarme cerca de él, de su mesa, de su aire, al borde de esa modificación de las cosas que cada hombre opone a su contorno y que constituye algo así como su propia resaca. Era un intento por infiltrarme en ese mundo que de tan cerca o cotidiano podía pasar desapercibido para *J*, el mundo de su sombra quizás, ese apéndice nuestro al que nunca prestamos la debida atención (vigilancia digamos), ese mundo de los habituales parroquianos del café que uno frecuenta, perfiles éstos que de tanto mirarlos suelen volverse transparentes. Tal —podía imaginarme— el astuto alfil se coloca en un punto tangencial, invisible, en tanto aguarda oblícuamente que el adversario descubra su flanco o devele, desprevenido, sus secretas intenciones.

Con el tiempo, no me fue ya difícil sentarme junto a su mesa de la manera más natural del mundo, o cruzarme con él afuera, a sabiendas de su previsto itinerario por las calles de siempre. Nunca temí ser descubierto, me sabía despojado de singulares características —inevitable presupuesto para mi trabajo—, y era sólo Jiménez el que cobraba presencia real ante mis ojos, inerme él, identificado al final en su disfraz rutinario, en su distinta y no obstante repetida máscara de todos los días. El reiterado contacto lograba efectos técnicos, deliberadamente buscados, que facilitaban mucho la eficacia de mis pesquisas. Podía, por ejemplo, a la distancia, reconocer incontrastablemente a Jiménez aun en el vértigo de la más abigarrada o vociferante de las multitudes. Era posible incluso que Jiménez se me revelara, sin vacilaciones, en un gesto apenas, en la insinuación leve de una parte de sus cabellos, en un fragmento de su torso, visto de espaldas, al fondo del café, de cualquier café, super-

wearing his ordinary mask, uniform, distinct. The repeated contact achieved technical results deliberately sought that facilitated, to a great extent, the effectiveness of my investigation. I could, for example, recognize Jiménez, unfailingly, from a distance, even in the milling about of the most heterogenous or noisy of crowds. It was also possible for Jiménez to reveal himself to me instantly, with the slightest gesture, with no more than a glimpse of the part in his hair or a fragment of his torso seen from behind at the rear of a cafe, any cafe, in spite of other, dissimilar objects or bodies placed between my eye and that minimal, barely visible indication of his presence in reality's revolving kaleidoscope. After several months I no longer needed tangible signs of Jiménez in order to find myself near his retreating figure. It was enough, at times, to see him out of the corner of my eye, no more than a fleeting bubble or a vibration in the air. At other times, the majority, I was guided by the hint of a breeze and, without turning to look, knew that Jiménez had entered or left. I even attempted a pursuit in reverse. It was a virtuoso performance. I moved ahead of Jiménez. I placed myself in what he presumed would be his immediate future: Wherever he went, I was already there, fading into the many flat presences that encircled the locale. If he left, I was outside before him, one more shape in his field of vision. A keen observer would have concluded that it was he who was pursuing me, such was the zeal I exercised, or the massive store of resources I called upon in the fulfillment of a mission I now believed, immersed as I was in its unpredictable unfolding, of the most sensitive, perhaps far-reaching consequences.

The fatal move at this phase in the investigation, or

puestos otros disímiles objetos o cuerpos entre mi ojo y ese mínimo, imperceptible acentuarse de su presencia en el cambiante calidoscopio de la realidad. A la vuelta de unos cuantos meses, ya no necesitaba de señales tangibles de Jiménez para descubrirme cerca de su fugitiva silueta. Me bastaba, a veces, verlo de reojo, apenas para mí como una breve burbuja o vibración en el aire; otras, las más, era sólo una momentánea variación del ambiente lo que me guiaba, sin volverme sabía ya que Jiménez había entrado o salido. En un alarde de virtuosismo ensayaba inclusive una persecución al revés, me adelantaba a Jiménez, me colocaba en lo que él juzgaba sería su futuro inmediato: adonde quiera que él entrara yo ya estaba allí, mimetizado entre las muchas y anodinas presencias que lo circundaban: si salía, yo ya estaba fuera, una silueta más en el ángulo de visión perceptible a sus ojos. Un observador sagaz hubiese podido pensar que era él quien me perseguía, tal era el celo o extremo acopio de recursos que me había propuesto en el cumplimiento de una misión a la que estimaba ya, inserto en su no previsto desarrollo, por demás delicada, trascendente acaso.

El resultado fatal, u obvio, en esta fase del perseguimiento, habría sido que yo terminase incorporándome al círculo de amigos de *J.* Ello habría sido una falla imperdonable, dada mi experiencia de funcionario. Para empezar, nadie me había aclarado hasta entonces las motivaciones profundas, o secretas, de la misión a mí encomendada: ¿de dónde podía yo saber que debía permanecer desconocido para *J,* una cara que se ha visto en la calle quizás, pero nunca un amigo? ¿Cómo podía yo saber que un día habría tal vez de aguardarlo en alguna esquina, intimidarlo con una pistola, arrestarlo, gol-

the obvious one, would have been for me to incorporate myself into J.'s circle of friends. That would have been an impardonable error in light of my experience as an investigator. To begin with, until then no one had clarified the profound or secret purpose of the mission entrusted to me. How did I know that I should remain a stranger to J., a face he had seen in the street, perhaps, but never met? How did I know that one day I might not have to wait for him on some corner, intimidate him with a pistol, arrest him, beat him, kill him perhaps? I knew full well that, in view of such possibilities, anonymity, the absolute lack of ties, was of utmost importance. For that same reason my approach toward what was Jiménez's world would end, at that stage in the project, precisely at the edge. There I stayed, a stranger, colorless, insignificant, observing everything out of the corner of my eye, carefully calculating each move into the interior of a dimension that others, J. above all, were unable to intuit. I was there, a peripheral being among them, lying in wait, always prepared to lash out or to stop them cold with a ruthless look.

Jiménez's life was not terribly complex. His points of reference, several, were simple, easy to recognize and record. To follow him, therefore, was not difficult. His daily visits to the cafe during the week were brief, hurried; quick stops to see someone, have a cup of coffee, glance at the newspaper. And so my activities were mainly concentrated on following his figure through the streets, when I was not observing him in his own office, hiding behind conveniently located inner doors or penetrating almost as far as his very desk. I also used to stop at a certain distance from his house to note who went in and out. The resulting information was

pearlo, matarlo acaso? Bien sabía que para tales supuestos el anonimato, la falta absoluta de vínculos, son de rigurosa necesidad. Por eso mismo, mi desplazamiento hacia lo que fuese el mundo de Jiménez terminaba, en esta instancia del proyecto, exactamente en el borde. Allí permanecía yo, extraño, anodino, insignificante, observándolo todo de reojo, moviéndome con ademanes precisos al interior de una dimensión que los demás, y especialmente *J*, no eran capaces de intuir; se encontraba allí paralela, entre ellos, acechándolos, a punto siempre de alargar un zarpazo o helarlos con el frío de su despiadada mirada.

La vida de Jiménez no era excesivamente intrincada: sus puntos de referencia —unos cuantos— eran simples, fáciles de reconocer e inventariar. Perseguirlo, por tanto, no era difícil. Entre semana, sus visitas al café, si bien diarias, eran cortas, apresuradas: apenas una vuelta para ver a alguien, tomarse un tinto, aprovechar para dar un vistazo al periódico. Mi actividad entonces se centraba más en seguir su silueta a través de las calles, cuando no en observarle en su propia oficina, ocultándome tras mamparas propicias, o penetrando casi hasta su mismo escritorio. Solía también pararme a cierta distancia de su casa, para registrar quiénes salían o entraban. Los datos eran casi siempre los mismos: sin embargo, no dejaba yo de anotarlos, escrupulosamente, en el parte de todas las noches. Los sábados eran los días más complicados: era cuando *J* y su mujer salían de compras, iban al cine o visitaban familiares: impredecibles, sobre todo en cuanto a los horarios, me obligaban a poner en juego toda mi astucia para no perderlos de vista. Los domingos, en cambio, se aparecían como más sosegados: hincha infaltable del *América,* lo veía siempre en la mis-

almost always the same. Nonetheless, I never neglected to note it, scrupulously, in the report I wrote every night. Saturdays were more complicated. J. and his wife went shopping then, or to a movie, or to visit relatives. Those days were unpredictable, in terms of scheduling above all, and this obliged me to call upon all my expertise in order not to lose sight of them. Sundays, on the other hand, seemed to be calmer. A loyal fan of the America soccer team, he was always on the same bleacher at the stadium. I saw him shout, swear, jump ape-like, laugh uproariously, bringing himself almost to tears. He struck me as unpleasant during those hours. It would have been all the same had I observed any of the other fans, all making the same gestures. I closed my eyes, preferring to forget about Jiménez, just as he had forgotten about himself, submerged in, or diffused among, that vast roar, that variegated open mouth that was the stadium.

It was on Friday nights, on the other hand, that I had the greatest opportunity to observe Jiménez fully. I watched them arrive at the same time, in high spirits, thirsty, making jokes about the various excuses they'd given their respective spouses, repeating like a password the ritual phrase, «Holy Friday». The cafe filled with a ghostly din. There were not enough waiters to move from table to table with drinks, bottles, and glasses. In the booths bottles were opened and decks of cards appeared as the participants arranged themselves around the tables and, next to them, immobile, fraternal spectators prepared to watch the interminable hands. A gradual change took place in the course of the night, inevitable, fatal as is everything, punctual. First, jackets were hung on the backs of chairs, sleeves rolled

ma grada del estadio. Lo veía gritar, maldecir, saltar simiesco, reir a carcajadas hasta las lágrimas: me resultaba desagradable a esas horas, me hubiera dado igual observar a cualquiera de los aficionados, todos en similares gesticulaciones. Cerraba los ojos y prefería olvidarme de Jiménez, olvidado él mismo como estaba de sí, inmerso o difuminado en esa vasta vocinglería o multicolor boca abierta que era el estadio.

Al revés, era los viernes por la noche cuando tenía a mi alcance todas las posibilidades de observar plenamente a Jiménez. Los veía llegar a la misma hora, alegres, sedientos, haciendo bromas sobre los diversos pretextos formulados a sus respectivas mujeres, repitiendo —como una contraseña— la frase ritual: «san viernes». El café se llenaba de una fantasmal algazara, los camareros no se alcanzaban para pasar, de una mesa a otra, las botellas, los vasos, las copas. En los reservados, al par que las botellas, se destapaban también las barajas, los jugadores se disponían en torno a las mesas y, junto a ellos, inmóviles, fraternos espectadores contemplaban las interminables partidas. En el curso de la noche, una lenta modificación alcanzaba siempre a producirse, fatal como todo, puntual diría: primero eran los sacos en el espaldar de las sillas, las mangas dobladas, desanudadas las corbatas; luego, con mayor asiduidad, podían verse apagados cigarrillos colgando de los labios resecos; paulatinamente tornábanse sudorosos los rostros, apergaminados, corrugados casi; un humo denso iba sustituyendo al aire en el ámbito del local; a través de los vidrios, desde la calle, aparecían fugitivas, hastiadas, invitadoras figuraciones femeninas; las miradas voraces, aun cuando amarillas, de los hombres, parpadeaban perplejas en la intermitente revelación; pero era en defi-

up, ties loosened. Then, as the situation turned serious, one could see cigarettes hanging from dry lips, faces becoming sweaty, parchmentlike, lined. Dense smoke replaced the oxygen in the air. Beyond the windows, in the street, furtive, weary, beckoning female forms appeared. The men looked hungry, though sometimes a bit yellow, as they blinked, perplexed, at these intermittant revelations. Something like a loneliness without hope, or the sense of impending disaster came from the city, out there, transformed, little by little, into a labyrinth of silent contrasts. But inside, in this cafe and others like it, drinking and card playing men invented a noisy, boorish ritual, a slow, watery, hazy descent that ended in sudden flight just before dawn. In one game four players participated, two against two. Team members sat across from their partners, separated by those on the opposing side, in a perfect, immutable square. When a player held a card of the same number or suit as that played by the previous participant, he picked the two cards up, scoring points for his team. The side that accumulated forty points first won at the end of a hand divided in two phases. There were also forty cards dealt, and partners had to coordinate their moves in order to prevent the opponents' advance. A player's opponent consisted not only of members of the other team, but of his own partner, when the latter made a mistake or missed his teammate's subtle signals. It was a game in which memory was the overriding factor, although that might be suddenly superseded by intuition or the urge to take a risk, either because the former had failed or because of the effects, always rapid, of alcohol. And so the game gave way to an interminable succession of hands and those involved came back time and again

nitiva una como soledad irredenta o certidumbre de devastación lo que devenía la ciudad, afuera, hecha poco a poco laberíntica contraposición de silencios. Sólo adentro, en el café, y en otros como éste, los jugadores, los bebedores, inventaban un ritual vocinglero, zafio; un descenso lento, acuoso, vago, que terminaba en súbitas dispersiones al filo del amanecer. Había un juego donde los antagonistas eran dos parejas de jugadores: los compañeros debían situarse frente a frente, separados por los integrantes de la pareja enemiga, en una cuadratura perfecta, incesante. Cuando un jugador tenía una carta del mismo número o figura que la echada al tapete por su antecesor, podía recoger ésta con la suya propia y acumular así puntos. Ganaba la pareja que completaba cuarenta tantos, al cabo de una secuencia subdividida en dos etapas. Cuarenta eran también las cartas que se distribuían y cada pareja debía combinar sus lances para impedir el avance del enemigo. Así, cada jugador tenía como antagonista no sólo a la otra pareja, sino inclusive a su compañero cuando éste erraba o no entendía las solapadas señales de su contraparte. Era un juego donde la memoria constituía factor primordial, aunque fuese pronto suplantada por la intuición o el instinto de riesgo, sea porque aquélla fallara o por los efectos, siempre rápidos, del alcohol. En esa forma, el juego devenía una vertiginosa sucesión de partidas, donde los contrincantes retornaban una y otra vez al mismo punto inicial, oscilando entre la exaltación y la furia, la sorna, la alegría desbocada, el temor, la astucia del miedo, la expectativa, la solidaridad, la traición, la tristeza, la angustia, la desesperanza, la depresión pura y simple. Era precisamente en gama abierta de posibilidades donde Jiménez, al igual que todos, oscilaba a lo largo de una noche de

to the same point of departure, bouncing between exaltation and fury, scorn and unrestrained glee, fear, cunning born of fear, expectation, solidarity, treachery, sadness, anguish, desperation, depression pure and simple. It was precisely there, within that vast range of possibilities, that Jiménez, like the rest, oscillated one Friday night, thus permitting me to delve more deeply into my study of his personality, into that knotted skein whose untangling I thought altogether essential, given that I had to be prepared on a moment's notice for any and all instructions that might be formulated regarding my mission.

Yes, I had placed myself at a point from which I observed the unwitting Jiménez as he revealed the secrets of his personality. He took refuge in the similar, familiar, equally unpremeditated behavior of the others. He didn't notice my presence nearby. He gesticulated wildly, an involuntary actor pursued mercilessly by a hidden camera. From the dim corner where I sat, I watched as the reel unwound with starts and stops, displaying J. as he stood up or leaned over, walked or paused, as his face, after having displayed a variety of expressions, took on an obstinate cast.

Yes, everything seemed normal, perfectly normal, just as it had been, or seemed to have been, in the past, in the course of other missions similar to this one involving Jiménez. Everything would have continued in this manner if it hadn't been for the appearance, in this assignment, in the pursuit of J., of a new element, a slight, insignificant change that made the case suddenly different, gave it a nuance that was, at bottom, ominous, though in a barely perceptible, that is to say, in an alarming fashion. For something to fit in an exact,

viernes, la que me permitía adentrarme en el estudio de su personalidad, en la inextrincable madeja cuyo desentrañamiento juzgaba del todo necesario, habida cuenta que debía estar preparado para cualesquiera instrucciones que, en torno a mi misión, podían serme de pronto formuladas.

Sí, me había colocado en un punto donde Jiménez, desprevenido, abría los oscuros vericuetos de su personalidad. Se amparaba inconsciente en la similar, paralela, igualmente no meditada actitud de los otros. No reparaba en mi presencia cercana. Gesticulaba como un involuntario actor al que persiguiera, implacable, una secreta cámara cinematográfica. Desde mi oscuro lugar podía ver desplegarse, una y otra vez, la intermitente cinta donde *J* se erguía o se doblegaba, caminaba o permanecía immóvil, en tanto su rostro se volvía obstinado a través de multiplicadas expresividades o muecas.

Sí, todo parecía normal, perfectamente normal, tal como fue o se me antoja que fue en el pasado, en el cumplimiento de otras misiones semejantes a la de perseguir a Jiménez. Todo habría seguido así, a no ser por la aparición, en ésta, en este perseguimiento de *J,* de un elemento nuevo: una leve, insignificante variación que tornaba al caso, de repente, distinto, con un matiz que era en el fondo imperceptiblemente ominoso, esto es alarmante. Todo, para que pueda encajar de manera exacta, armoniosa, en el sutil engranaje del universo, debe tener, me imagino, una medida, un espesor precisos, y debe cumplir, asimismo, un ciclo determinado de días o años a cuyo término —indefectiblemente— concluye o reaparece, transfigurado, en otra materia. Esto es sin duda un lugar común, pero de no ser así, de no cumplirse esa ley que presupone mi mentalidad legalista, mi apego a los

harmonious way into the subtle mesh of the universe, it should have, or so I believe, a measure, a precise breadth, and it should also take place within a predetermined cycle of days or years and, at the end of that time, without fail, it should come to an end, or reappear, but changed now, into something else. This is no doubt a commonplace, but when something isn't like that, when it doesn't conform to this law that my legalistic mind, my adherence to the rules, presupposes, then everything is distorted, some gears no longer mesh, and then, with increasing frequency, sometimes irrevocably, there is disorder, chaos, fear. And it was something like this that I began to sense as, conscientiously as always, I fulfilled my duty in the pursuit of Jiménez.

One day I found myself thinking about what this assignment's unstated objective might be, what the reason for this never-ending, all-embracing pursuit that I had undertaken. I told myself that I was not in a position to ask questions that were none of my business, that might even be beyond the limits of my comprehension, arcane, as all that went on at the decision-making level tended to be. But I didn't stop thinking, apprehensively, about the accumulation of reports that, each day, once they were signed by me, must have been filed somewhere, reports always the same, day after day, with the same notations, similar suspicions or references, time and again, reiterated, tenacious, in an eternal return, in a constant circular journey that ended, each night, with my descent to the same point of departure. In spite of my attempts to end these worries, my concern only grew, returned, more insistently, steadily, with greater urgency, increasing

reglamentos, se distorsiona todo, dejan de corresponderse unos con otros los engranajes, y es entonces, cada vez más, a veces irreversiblemente, el desorden, el caos, el miedo. Y algo como esto fue lo que comencé a percibir en tanto cumplía, escrupuloso como siempre, mi persecución de Jiménez.

Un día me encontré meditando en cuál podía ser el objetivo secreto de mi misión, cuál la razón para esa reiterada o absorta *inquisición* que yo desplegaba. Me dije que yo no era quién para inquirir cuestiones que no me incumbían, que podían rebasar incluso los límites de mi comprensión, arcanos como solían ser los niveles en que se tomaban las decisiones. Pero no dejaba de pensar con aprensión en el cúmulo de informes que, cada día, una vez firmados por mí, debían irse archivando en alguna parte, iguales siempre, día tras día, todos con las mismas anotaciones, similares sospechas o referencias, una y otra vez, reiterados, tenaces, en un eterno retorno, en un periplo constante donde yo descendía, cada noche, al mismo punto de partida. Pese a mis esfuerzos por dejar a un lado tales preocupaciones, éstas tendían más bien a acentuarse, a tornar con mayor asiduidad o frecuencia, acuciantes, crecientemente puntuales. Y era que las cosas habían pasado de cierto límite dentro del cual podían considerarse normales. Tanto en mi trabajo, como creo que en cualquier otro, hay un momento, una determinada instancia, en que lo empezado termina, o se incorpora a un renovado proceso, en fases sucesivas que han sido acaso previstas en un proyecto inicial. Mi misión parecía dilatarse más allá del lapso acostumbrado, se volvía anormal, puesto que la instrucción primigenia —ésa de seguir obsesivo a Jiménez— permanecía igual, inalterable, secreta. Si al menos me hubiese

frequency. Because the matter had gone beyond that certain limit within which it might have been considered normal. In my work, just as, I believe, in any other, there is a moment, a precise instant when what has begun ends, or is incorporated into a new process, into successive phases that have, perhaps, been foreseen in an initial plan. My mission seemed to have been prolonged beyond the usual time limit, it had become abnormal, given that the original instructions —to follow Jiménez, obsessively— remained the same, unchanged, secret. If only I had received an order to undertake a search, a break-in; or to watch someone associated with J., or simply to prepare the conditions for an eventual arrest, then I would have had the impression that the whole thing was progressing, although in an odd manner, at some concealed level. I would have believed that I wasn't alone, that my reports were being read by someone and that whoever he was, he responded, conversed with me, made me a participant in new decisions adopted in the course of the operation, even though it was by means of that obscure language that comes into being between one set of instructions and another. But, to my despair, the pages of the calendar disappeared until it was nothing more than a useless square of cardboard, a witness to the fact that too may days had passed since the beginning of my relentless pursuit of Jiménez. And at the same time the sensation of finding myself before something excessively strange grew, something unusual and, therefore, monstrous, such as might occur in an encounter with someone inordinately old, older than any spatial-temporal convention familiar to as, a casual encounter with Methuselah, for example. Such was, at times, my

llegado la orden de practicar, por ejemplo, un registro, un allanamiento; o la de vigilar a alguno de los allegados de *J,* o simplemente la de tener listas las condiciones para un eventual arresto, entonces habría tenido la sensación de que el asunto marchaba, aun cuando arcano, en algún oculto nivel; habría pensado que no estaba solo, que mis informes eran leídos por alguien y que ese alguien me contestaba, dialogaba conmigo, me hacía partícipe de las nuevas disposiciones adoptadas en el curso del operativo, aunque sea a través de ese oscuro lenguaje que puede entablarse entre una y otra instrucción. Para mi desesperación, las hojas del calendario iban desapareciendo hasta dejar a éste reducido a una plancha de cartón inútil, si bien testimonial de que habían pasado ya demasiados días desde aquel inicial de mi acoso o acechanza a Jiménez, al tiempo que era mayor en mí la impresión de hallarme ante algo por demás extraño, desusado, y por lo mismo monstruoso, tanto como podría ser el encuentro con alguien cuya edad fuese desmesuradamente larga, más larga que cualesquiera de las convenciones espacio-temporales que nos son familiares: el encuentro casual con Matusalén, por ejemplo. Tal era, a veces, mi aprensión, que llegaba incluso a preguntarme si el proyecto —nunca dudé que debía haber un proyecto— contemplaba la vigilancia de *J,* sólo por el hecho de que frecuentara determinados cafés, trabajara en su oficina de siempre, cobrara puntual su quincena, o llevara de un modo sólo suyo la corbata o el traje; entonces, cualquiera podía ser objeto de mis pesquisas, o quizás yo mismo podía estar vigilado, o tal vez —esto fue una duda apenas, una fulguración rápida— era *J* quien me perseguía, *J* quien se adelantaba a mis pasos, vigilándome desde un punto del día que yo aún no alcan-

impression that I even went so far as to ask myself if the plan —I never doubted that there was a plan— determined that J. be watched simply because he frequented certain cafes, worked in the office he had always worked in, was paid a salary every two weeks punctually, or wore, in his own singular fashion, a suit and tie. Then anyone could be the subject of surveillance or, perhaps, I myself could be watched or, it was entirely possible —though this was merely a passing doubt, a brief flash— it was J. who was following me, J. who moved before me, watching me from a point in the day that I had not yet reached, occupying places I had presumed reserved for me alone. That last, you will understand, accustomed as I am to police inquiries or long games of chess in my leisure moments, I had to discount immediately, rationally, I would say, after a cold, calm, mathematical review of the facts. You will understand, too, that these concerns could not figure in my nightly reports. These, after all, were a daily check, not only on J. but on myself as well.

It was then that an extraordinary idea came to me. Every attempt to arrive at a picture of J.'s habits, relationships, and personality from a rational perspective, conventional, let us say, had been exhausted or, better yet, minutely recorded and corroborated in innumerable reports filed over the course of many drawn out months, or perhaps years. But the original instructions, those detailed in the long since yellowing memorandum, had yet to be modified or exchanged for others. Were they, maybe, trying to test my own abilities? Was J. only a pretext invented to oblige me to demonstrate some sort of initiative, to develop a unique approach, one not revealed to me?

zaba, situado él en zonas que yo presumía dispuestas para mí solo. Esto, usted comprenderá, habituado como estoy a inquisiciones policiacas o largas partidas de ajedrez en mis ratos de ocio, hube de descartarlo inmediatamente, racionalmente diría, luego de una serena, fría, matemática consideración de los hechos. Usted comprenderá también que estas preocupaciones no podían figurar en el parte de la noche: en fin de cuentas, éste era un control diario, no sólo de *J,* sino además, de mí mismo.

Fue entonces que concebí un extraño designio. Todas las posibilidades para lograr un cuadro de las costumbres, relaciones y personalidad de Jiménez, desde una perspectiva racional, convencional diríamos, estaban ya agotadas, mejor dicho habían sido minuciosamente registradas y corroboradas en inumerables informes, a lo largo de un número ya dilatado de meses o quizás de años. Pero la instrucción inicial, aquella formulada en el memorándum ya amarillento, no había sido aún ni modificada ni sustituída. ¿Se querrían probar acaso mis propias capacidades?, ¿era *J* sólo un pretexto para obligarme a desplegar otro tipo de iniciativas, en una perspectiva inédita, desconocida para mí? Quizás el nivel donde se toman las decisiones esperaba algo de mi iniciativa y tal vez era ya demasiado tarde. Pensé que era necesario hacer algo, pronto, y fue así que intuí mi extraño plan, lo que podría llamar la tercera fase del proyecto. La idea no surgió en mí espontáneamente, fue más bien el resultado intelectual de un proceso físico que de alguna manera incosciente había comenzado a hacerse carne en mi carne, a irritarme mejor dicho, a tornarse, más que en una preocupación o sospecha, en insoportable evidencia física. Fue algo así como el reflejo distor-

Maybe those occupying the level at which these decisions are made were waiting for something creative on my part and maybe it was already too late. I decided it was necessary to do something without delay and it was thus that I came up with a strange plan, what might be called the third phase of my project. The idea didn't come together spontaneously. It was, rather, the intellectual result of a physical process that, in one way or another, unconsciously, started to become flesh within my flesh, or, better yet, to irritate me, to become more than a concern or a supposition, to become an unbearable physical presence. It was something like a distorted reflection, a metaphor for a perplexity that had to be verified in the bones, in the barely visible movements of arms or legs. I know now that it must have begun imperceptibly with the pursuit of J. in which I had consumed myself for long months or years. But when what in the beginning had been no more than an insignificant suspicion became an absolute certainty, I felt it in such a rooted way, turned into such a habit, and I knew, at the same time, that it would be difficult to detach myself from this new appendage stuck to my own being. I think —I'm trying to understand it now— that every step toward J. must have left marks, innumerable marks, in this moving substance that is my own, as though I could not get out of this trap intact, unpunished; and to the obsessive task of surveillance, to all that was apparently abnormal about my drawn-out, all-encompassing mission, must be added a slow, gradual likening of my gestures to those of the pursued, an unconscious mimicking of all that J. was, by virtue of having sat at the next table, by virtue of having become his shadow, by virtue of having concentrated on each of

sionado, la metáfora de una perplejidad que debía verificarse en la piel, en los huesos, en el ademán inasible de mis brazos o piernas. Sé, ahora, que todo habrá empezado de modo por demás imperceptible, paralelamente a esa persecución de *J* en que me había empecinado por largos meses o años. Pero cuando, lo que en un inicio no era más que leve sospecha, se volvió cabal certidumbre, la sentí de tal manera arraigada, tan hecha hábito, que supe también, a la vez, que me sería difícil desprenderme de eso nuevo adherido a mi propio ser. Creo, trato de entenderlo ahora, que cada movimiento hacia *J* habrá dejado marcas, innumerables marcas en esa sustancia movediza que es la mía, como si no hubiese podido salir ileso, impune, del acecho, y al ejercicio feroz del perseguimiento, dentro de todo lo supuestamente anormal de mi dilatada, extralimitada misión, se agregase un lento, paulatino asemejarse de mis gestos a los de mi perseguido, un inconsciente mimetizarse en lo que *J* era a fuerza de ocupar su mesa vecina, a fuerza de ser su sombra, a fuerza de estar atento a cada uno de sus desplazamientos, a cada mueca de su rostro, a cada gesticulación por absurda que fuese de su mano. En vez de sacudirme de esa especie de excrecencia motivada miméticamente por *J*, decidí llevarla hasta extremos límites, única forma —pensé— de sondear los ámbitos profundos de su existencia. No sé por qué deduje que quienes integraban el nivel de las decisiones esperaban eso de mí. Pensé, en todo caso, que mañana bien podía ordenárseme que sometiera a *J* a un interrogatorio, a una tortura quizás: ¿cómo podría lograr resultados satisfactorios, alcanzar el propósito último de esa tortura hipotética, si no lograse conocer a *J* en profundidad como si fuese yo mismo? Convencido de ello, no tuve más que

his movements, each facial expression, each gesture of his hand, no matter how absurd. Instead of shaking off that species of mimetic growth induced by J., I decided to take it to its extreme, the only course that would permit me —I thought— to fathom the deepest spheres of his being. I don't know why I concluded that those at the decision-making level expected this of me. I thought, in any event, that tomorrow they might very well order me to subject J. to an interrogation, to torture, perhaps. How could I achieve satisfactory results, deal with the consequences of that hypothetical torture, if I didn't manage to know J. thoroughly, as though I were he? Convinced of that, I had no choice but to renew this apprenticeship, now in a conscious fashion. It was a time-consuming effort, I confess, and many times I feared that I would give up, exhausted, exasperated, on the edge of desperation or of its disguised variant: boredom. I rehearsed every one of J.'s gestures for days on end, every facial expression and tic I repeated in front of a mirror a thousand times. I redid my spare wardrobe, exchanging each item for another exactly like the one J. had. I even had my hair cut like his. I rejoiced on occasion, thinking that my mission might be, at some point, perhaps, to stand in for J. I told myself that carrying out such an order would not have been impossible.

As I increased my likeness, at least in terms of gestures and dress, to that of J. —due to a happy coincidence my stature and physique were similar to his— I also had to avoid the cafe, particularly whenever J. was there, for fear of calling attention to my appearance. I took refuge in a nearby restaurant, the Lonchería Italiana. I watched J. from afar, from the

ahondar, ahora de manera consciente, mi aprendizaje. Confieso que fue un empeño largo, tedioso, difícil: temí sucumbir muchas veces, agotado, exacerbado, al borde de la desesperación o de su camuflada variante: el tedio. Cada uno de los gestos de *J* fue ensayado por mí a lo largo de innumerables días, cada mueca o tic de su rostro repetido mil veces ante el espejo. Renové mi escaso vestuario, sustituyendo cada prenda con otra exactamente igual a la de *J*. Mi corte de pelo fue también como el suyo; me regocijé muchas veces pensando que tal vez mi misión pudiese ser, alguna vez, suplantar a *J* ante alguien: me dije a mí mismo que aquello no me sería imposible.

Conforme aumentaba mi parecido al menos gestual y talar con *J* —una feliz casualidad hacía que mi tamaño y estatura fuesen como los suyos—, hube también de evitar el café, al menos a las horas frecuentadas por *J*, temeroso de llamar la atención con mi semejanza. Me refugiaba en un restorán cercano, la *Lonchería Italiana;* vigilaba a *J* de lejos, de un modo más bien oblícuo, no pertinaz, no asiduo. Una noche de viernes, me asaltó una idea audaz: introducirme en su *mundo,* reconocer un poco el entorno de su trajín cotidiano, íntimo. Seguro de que *J* continuaría enfrascado en el juego hasta el amanecer, y poseedor de una llave que me había procurado mucho tiempo antes, penetré en su casa un poco después de las doce, a una hora adecuada para el sigilo. Habiendo estudiado previamente el plano y demás detalles por pura exigencia de mis tareas, sentí todo familiar, no desconocido ni hostil su aire, como si sus corredores y puertas y recovecos hubiesen ya desfilado ante mí en otros insomnios. Verifiqué pronto algunos lugares propicios para el acecho, desde donde podía captar cualquier mo-

sidelines really, not obsessively, not closely. One Friday night I was struck by an outrageous thought: I would introduce myself into his world, reconnoiter a bit the surroundings of his intimate, daily comings and goings. Certain that J. would continue wrapped up in his card game until dawn, and possessing a key I had procured long before, I slipped into his house a little after midnight, an hour designed for stealth. Because I had previously studied the floor plan and other details, purely due to the demands of my job, everything felt familiar, the environs not unknown nor hostile, as though those doors and corridors and corners had already marched before my eyes on other sleepless nights. I immediately located an appropiate hiding place from where I would be able to sense any movement, to hear all sounds. I remained there for hours, familiarizing myself with the subdued life that spreads throughout a house in the early morning hours, perceiving and identifying the reasons for even the most insignificant noises: the faint scratching of a cat's claws on a pillow, the snoring of a maid from the rooms at the rear, perhaps the sleeplessness of J.'s wife in the bedroom. For several nights —Friday nights— I repeated the experiment as the house, the rooms, the doors experienced countless changes, underwent subtle modifications. The scene was not the same on a rainy night, for example, just as it would not be in the light of the moon or on a night of conjunction. The entire house levitated from week to week due to imperceptible, arcane, frightening transfigurations. There was something, nevertheless, that though unchanging, added a prosaic, heavy, grotesque note, always at the same time. I refer to J.'s return. From the time he came

vimiento, escuchar todo ruido. Permanecí así por horas, familiarizándome con esa vida exigua que cunde en las casas a la madrugada, percibiendo y deduciendo el porqué de los sonidos más insignificantes: el leve raspar de unas uñas de gato contra una almohada, los ronquidos de una criada en los cuartos del fondo, acaso la vigilia de la esposa de *J* en el dormitorio. Durante varias noches —noches de viernes— repetí la experiencia, en tanto la casa, los cuartos,las puertas, se presentaban asaz distintos, acometidos por tenues modificaciones: no era lo mismo una escena en una noche de lluvia, por ejemplo, como no lo sería a la luz de la luna ni en una noche de conjunción: la casa toda levitaba, de semana en semana, a través de imperceptibles, arcanas, estremecedoras transfiguraciones. Había algo, sin embargo, que no por diverso, dejaba de poner una nota densa, prosaica, grotesca, siempre a la misma hora: me refiero a los regresos de *J*. Desde que entraba hasta que se dormía la casa experimentaba unos como secretos desgarramientos a los que él era ajeno. Su portazo generaba una sucesión disímil de raros, abruptos aconteceres: un gato acaso erguía su pelambre espectral en alguna parte, alguien podía regresar apresuradamente del sueño, se producían —estoy cierto de eso— sutiles retrocesos o avances en las cosas todas: en las plantas, en los cristales, sumidos hasta esa hora en una discreta vigilancia. Luego venía la brusca entrada al baño de *J*, el eco de sus vómitos o ese ruido de insecto que se hace al lavarse los dientes; después, en una inaprehensible y ciega secuencia, me imaginaba a *J* introduciéndose como un ave nocturna en la cama, escuchaba lejanos murmullos, a veces a *J* buscando en silencio, bajo las sábanas, la tibia piel de la mujer. En esa forma, en la repetitiva intromisión

in to the time he went to sleep, the house suffered something like a silent rending of which he was unaware. When he slammed the door, the noise produced generated a succession of dissimilar, odd, sudden events. Somewhere a cat's hair might stand on end. Someone might suddenly come out of a dream. Subtle advances and retreats were produced —of this I'm certain— in all things, in the plants and in the windows submerged, until then, in their discreet vigil. Then there was J.'s abrupt entrance into the bathroom, the echo of his vomitting, of that insect-like noise we make when brushing our teeth. Later, I imagined J. performing, like a nocturnal bird, an invisible, blind sequence as he got into bed, and I listened to his distant murmurs, at times to his silent search beneath the sheets for his wife's warm flesh. In that way, by repeatedly insinuating myself into J.'s intimate sphere, I managed something approaching an identification with his habits, a through familiarity with them, rigorous, profound, to the point of feeling as though they were my own, one with my very being in some intangible way.

I conceived of something even more unusual, riskier, an act in the commission of which I would be able to verify whether I had really achieved an appearance similar to J.'s while, at the same time, I would be able to sound out the most obscure reaches of his being. I thought about how J. was not only an individual, a collection of qualities that perspired lightly over a card table every Friday night, but was also made up of his surroundings: his house, his wife, his street. To go more deeply into those separate dimensions seemed not only appropriate; it was indispensable. One night — a Friday, as always— I went as far as his bedroom. In

en el ámbito íntimo de Jiménez, logré casi una identificación con sus hábitos, un conocerlos en profundidad, con rigor, con hondura, al punto de sentirlos míos, vivencialmente míos, de una manera inasequible.

Concebí algo todavía menos usual, más arriesgado, un acto en cuya comisión lograría comprobar si había logrado realmente parecerme a *J,* en tanto podría sondear los niveles más recónditos de su ser. Pensé que *J* no era sólo, como entidad, esa figuración que cada noche de viernes trasudaba sobre la mesa de juego, sino que era, también, los seres que lo rodeaban: su casa, su mujer, su calle; adentrarse en esas distintas dimensiones parecía no sólo oportuno, sino además, imprescindible. Una noche —de viernes, como siempre—, avancé hasta su dormitorio; presentí en la oscuridad la respiración de su esposa, si bien no podía asegurar si estaba dormida o despierta. Imité en la sombra los gestos que habría hecho la sombra de *J* y, una vez en la cama, busqué a tientas el cuerpo de la mujer. Aquella noche aprendí mucho de los hábitos sexuales de *J,* de sus mezquindades y exaltaciones; de aquellos labios que me besaban en la negrura de esa hora escuché, como en un espejo de palabras, el relato mórbido de otros actos, de otros deseos jamás satisfechos, el reclamo porque se repitieran o reconcentraran pasados azares de la carne, casi olvidadas concupiscencias. Pudieron mis manos, a través de la piel cálida de la mujer, de su pelo y sus caderas grávidas de oscuridad y deseo, recorrer los ocultos caminos de *J,* esos que ni él mismo sería capaz de reconocer, si no fuese en el sueño. Descendí, artero, en un como vívido trasunto de Jiménez, en tanto reconocía, deslumbrado, senil, el sitio preciso hasta donde él también, a su vez, podía llegar en el límite último del delirio, la muerte o la sobrevivencia.

the darkness I sensed his wife's breathing, though I couldn't determine if she was sleeping or awake. In the gloom I imitated the gestures J.'s shadow would have made and, once in bed, I felt around for his wife's body. That night I learned much about J.'s sexual habits, about his pettiness and his exaltations. From those lips that kissed me in the black night of that house I heard, as though in a mirror reflecting words, the morbid tale of other acts, of other desires never satisfied, a demand that past fortunes of the flesh, desires nearly forgotten, be repeated or heightened further. My hands, through that woman's warm flesh, her hair, her hips dense with darkness and desire, were able to travel obscure byways within J., paths he himself wouldn't have recognized, except in a dream. I descended, cunningly, in something like a vivid imitation of J. and I recognized, astonished, suddenly senile, the precise place where he, also, in his turn, might reach the ultimate limits of delirium, death or survival. The experience had a profound effect on me. Now the process begun so long ago could no longer be called simple imitation. Instead, I had entered a phase, inescapable, ominous, of metamorphosis.

A new existence began for me. I could be far from J. but I always felt that his presence was near, unshakeable, more tangible than ever. I felt as though an invisible doll reproduced his gestures, as though his body were disseminated throughout the air by some imperceptible means, as though he had forgotten his shadow, for example, as though it returned through hidden doors to mock me, to impose its presence upon me, brutal and implacable. Accustomed to discovering him in the very changes in the air, I realized that J., like a curse, persisted there, stuck like slime, like a

La experiencia obró en mí profundamente. Al cabo de un largo tiempo, el proceso iniciado ya no podía llamarse de imitación solamente, sino que había entrado en una fase de cierta, aun cuando ominosa, metamorfosis.

Una nueva existencia empezó para mí. Podía estar muy lejos de *J*, pero yo sentía siempre cercana, impertérrita, su presencia, más tangible que nunca. Presentía que un muñeco invisible reproducía sus gestos, que algo inasible dilataba en el aire su cuerpo, como si hubiese dejado olvidada su sombra por ejemplo, como si regresara por puertas arcanas a burlarse de mí, a imponerme implacable su brutal evidencia. Habituado a descubrirlo en las variaciones mismas del aire, percibía que *J*, igual que una maldición, persitía allí mismo, adherido cual una baba, como una monstruosa careta de caucho, a mi piel. Reconstruido ya, lo reconocía una y otra vez, con horror, en mi propia gesticulación inútil, en ese rictus no mío que ya para siempre determinaba mi rostro. Era un Jiménez fantasmal el que surgía entonces; no podía verlo, pero sabía —tomaba conciencia extrañado, casi aterrorizado— que otros acabarían por reconocerlo con sólo mirarme: era, así, una sensación terrible, de alejamiento más bien, de enajenación, algo vagamente sicalíptico, una modificación de mi apariencia y aun de mi cuerpo que me degradaba, que me envilecía por lo mismo que me transformaba en una especie de doble servil de Jiménez, su desconocido sucedáneo, su excrecencia si cabe. Con los días, alcanzaba un punto más bajo de envilecimiento: era la aceptación de la degradación misma, como si ésta tendiese a consolidarse, al tiempo que empezaba a acostumbrarme a ser nada más que una copia al carbón de Jiménez, su oscuro daguerrotipo, el negativo de su fotografía tomada una y otra vez, obstinada-

monstrous rubber mask, to my own flesh. Horrified, I recognized him time and again reproduced in my own senseless gestures, in the expression that was not my own but that forever marked my face. It was a phantom Jiménez that came into being then. I couldn't see him but I knew —I became conscious, amazed, almost terrified— that others might come to recognize him simply by looking at me. Thus, it was a horrible sensation of distance or, better yet, of estrangement, something vaguely lewd, a modification of my appearance and even of my body that degraded me, that debased me by transforming me into a kind of slavish double of Jiménez, his secret stand-in, his abomination, if that's possible. With the days I reached a state of degradation even more abject: It was the acceptance of degradation itself, a feeling whose intensity increased as I became accustomed to being nothing more than a carbon copy of Jiménez, his dark daguerreotype, the negative of his photo taken time and again from different angles, obsessively. On occasion —now nothing seemed to matter to me— my movements were ridiculous, just like those of a marionette manipulated from afar by J.'s hands, he who was the blind demiurge, completely unaware, and I his double, as though made —I recognized this— of straw and grotesque cross-pieces, this rag of his that pursued him nevertheless, that would continue to pursue him in spite of everything, doggedly, religiously.

A number of episodes marked that subtle process, that ravaging, if you will, of my own flesh. Now, more than ever, I tend to remember them, to search in them for I don't know what hidden meanings. But of all of these, I remember one in particular, that afternoon, the

mente, desde distintos ángulos. En ocasiones —ya nada parecía importarme—, mi movimiento se tornaba ridículo, igual al de una marioneta manipulada a lo lejos por las manos de *J,* demiurgo ciego, no conocedor de este doble suyo, hecho —me reconocía— como de paja o travesaños grotescos, este remedo suyo que, sin embargo, lo perseguía, que seguiría persiguiéndolo a pesar de todo: con rigor, inflexible.

Varios son los episodios que marcan ese sutil proceso de despojo, diría, de mi propia carne. Ahora, más que nunca, suelo rememorarlos, buscando en ellos no sé qué desconocidos presagios. Pero de todos, recuerdo especialmente uno, una tarde, un instante en el cual la certidumbre de mi metamorfosis llegaría exacta, acabada. Me disponía a empujar los bastidores a la entrada del *Cádiz*, en el instante en que él, *J,* movido por un azar abrupto, emergía desde adentro hacia la luz de la calle. Mientras nos acercábamos, en tanto *J* se acercaba tenaz y yo avanzaba, como en un sueño, noté que mi traje era exactamente igual al suyo, el mismo color, la hechura idéntica; el cigarrillo crepitaba en su mano igual que en la mía; su brazo doblábase en contrapartida del mío; mis gestos eran los suyos; su rictus, su reconcentrada mirada, los que podían adivinarse en mi rostro; me sentí un inopinado gemelo, la parte de nuestro invisible hermano siamés reencontrada de pronto; al coincidir en el mismo punto, se cruzaron nuestras miradas; hubo un amago de extrañeza en sus ojos, por una fracción de segundo pareció o quiso reconocerme, por un instante fuera del tiempo braceamos ambos al otro lado del mismo espejo; luego, en el aliento de un largo minuto, siguió desplazándose hacia la calle, y yo penetré bruscamente hasta disolverme en el humo denso del bar, en las mil voces tibias

instant when the certainty of my metamorphosis would become fixed, final. I was about to push through the swinging doors at the entrance to the Cádiz precisely as, by pure coincidence, J. emerged from within, headed for the light of the street. As we approached one another, as J. approached relentlessly and I advanced as though in a dream, I noted that my suit was exactly like his, the same color, the identical cut; a cigarette burned in his hand as it did in mine; his arm was bent in counterpoint to my own; my gestures were his; his expression, his concentrated look, was visible in my face. I felt an unlikely twin, an invisible siamese brother suddenly encountered. On reaching the same point we glanced at one another. There was a hint of astonishment in his eyes. For a fraction of a second, he seemed, or struggled, to recognize me. For an instant outside time we floundered on opposite sides of the same mirror. Then, as though in slow motion, he continued moving toward the street; I quickly went inside where I blended into the bar's dense smoke, in the thousand warm voices that made the idle gloom velvety. When I looked once more into the street, I could only guess at, or feel, the deserted pavement, the windows of the city, superimposed, that later, each one with its distinct eye, would once again spy on my empty obsession, mocking.

That was also the last time I saw J. For several days I continued to frequent the places he had: the cafe, the office, the corner where his house stood. There wasn't a sign of him, his presence had ended suddenly, oddly, leaving no room for conjecture. For some time I returned to the memory of our encounter at the entry way of the Cádiz. I wanted to read in the face that stared

que volvían aterciopelada su vana penumbra; al mirar una vez más hacia la calle, sólo pude adivinar o presentir el pavimento desierto, las ventanas superpuestas de la ciudad que luego, cada una con su ojo disímil, tornarían a atisbar burlonas, una vez más, mi vacua persistencia.

Esa fue también la última vez que vi a *J*. Por varios días insistí en frecuentar los sitios trajinados por él: el café, la oficina, la esquina de su casa. No había señas suyas, su presencia había terminado brusca, extrañamente, sin lugar a conjeturas. Por algún tiempo volví en mis recuerdos a nuestro encuentro a la entrada del *Cádiz*: quería leer en ese rostro que me miraba, que me seguía mirando perplejo, un indicio, una revelación, acaso un perverso designio; pero sólo alcanzaba a recordar su gesto que era apenas sí de extrañeza, su fugaz desconcierto, ese enorme parecido a mi propio yo que avanzaba, obstinadamente, en mis sueños, acentuándose desde las sombras del bar hacia la brillantez disolvente del sol, afuera, en la calle.

Mi perplejidad empezó a tentar peregrinas hipótesis. Inventé, por ejemplo, que *J* nunca había existido, que todo mi trajín de los meses o años pasados había sido a través de un pertinaz laberinto de espejos, allí donde yo mismo me perseguía, atisbándome al fondo de los cafés, en las mamparas o en los escaparates que son de cristal, casi siempre; en las vitrinas infinitas de la ciudad: todo en un afán inconsciente, no deliberado, siniestro casi. Luego quise pensar que *J* había sido una argucia más de la ciudad, una sombra desprendida en la pátina de las calles, semejante, en su fugitiva figura, a esas caras que uno descubre en la cal desgastada. Pero al cabo sólo podía entender que ésos no eran más que juegos inventados en mi desolación creciente, porque, y esto era

at mine, that continues to look at me, perplexed, a sign, a revelation, a perverse design, perhaps. But I only managed to recall a gesture that was barely one of surprise, his fleeting confusion, that tremendous likeness to my own that advanced, obstinately, in my dreams, accentuating itself as it moved from the shadows of the bar toward the naked brilliance of the sun, outside, in the street.

In my confusion I groped for implausible explanations. I imagined, for example, that J. had never existed, that all of my comings and goings during the past months or years had taken place within a labyrinth of mirrors, there, where I pursued myself, peering at myself in the depths of cafes, through doors, or in showcases, almost always of glass, in the infinite shop windows of the city, all in an unconscious search, involuntary, almost sinister. Then I wanted to believe that J. had been just one more of the city's illusions, a shadow come loose from the patina of the streets, similar, in his intangible form, to those faces one discovers in peeling whitewash. In the end, I only managed to understand that those were no more than games I invented in my growing despondency because, and this was the absurdity of it all, the house where I had kept watch on so many Friday nights was there, on the same street, but now occupied by others, without a sign that there, J. and his wife had once lived, or rather, J. and the warm female form I had secretly carressed one early Saturday morning. And it was also true that J. had left his indelible imprint on my being. I discovered it in my gestures, in the expression now forever engraved on my own face. J. survived in my very being. I had inherited his suit, his shoes were those in which I crossed

lo absurdo, la casa donde yo había velado tantas noches de viernes, estaba allí, en la misma calle, sólo que habitada por otras gentes, sin rastros de que en ella alguna vez hubiese morado *J* y su mujer, es decir, *J* y esa cálida forma femenina acariciada secretamente por mí una madrugada de sábado. Y era también verdad que *J* había dejado su impronta imborrable en mi ser: lo descubría en mis gestos, en la expresión ya para siempre grabada en mi propia cara: *J* sobrevivía en mí mismo, yo había heredado su traje, sus zapatos eran éstos con los cuales yo cruzaba —cruzo—, día tras día, las calles que antes fueron las suyas. Era inútil mi esfuerzo por librarme de esta identidad recién asumida, de este ser otro que desde entonces, y ahora, soy yo y seré siempre, un siempre que en este instante me resulta más bien exiguo, precario. Intentar trascender esta filiación imprevista me parecía —me parece— como tratar de disimular la falta de ortografía, cuando de la *J* erróneamente incluida buscamos sacar una grotesca, jorobada, apenas sí superpuesta.

Me imaginé también que *J* hubiese tramado este no previsto final. Acaso se hubiese percatado de mis pesquisas desde su inicio mismo y dejado, clarividente, que tuviera lugar mi lenta metamorfosis, mientras él ejercía una paulatina aun cuando perfecta coartada, hasta dejarme inerme, solo, ocupando su lugar en la ciudad, indefenso ante los saludos que ahora se me dirigen creyendo que soy él, *J*, Jiménez. La suposición me ha sumido en un completo terror. Porque ahora sé, tengo la ineludible certeza, de que hay alguien que me persigue. Me parece atisbar de pronto, confundida entre los transeúntes, la silueta de alguien que sigue obsesivo mis pasos. Ahora que me doy cuenta, soy yo, *J*, solo, sin papeles probatorios, el que espero. Sé que la persecución llega

—cross— day after day, the streets that once were his. My efforts to free myself from that identity recently assumed were futile, from that other being that since then, and now, I am and will forever be, a fōrever that, at the moment, seems to me to be truly limited, precarious. To attempt to transcend this connection seemed to me —seems to me— like trying to hide an error in spelling when, in the «j» that's been mistakenly penned, we search for the misshappen, barely visible hump of a «g».

I also imagined that J. had plotted this unexpected finale. Maybe he was aware of the surveillance from the very beginning and, not for a moment deceived, permitted that my slow metamorphosis take place while, little by little, he prepared a perfect escape, leaving me exposed, alone, occupying his place in the city, defenseless before the greetings that are now directed my way in the belief that I am he, J., Jiménez. That supposition has me plunged in absolute terror. Because now I know, with utter certainty, that someone is following me. When least expected, hidden among the pedestrians, I seem to glimpse the figure of someone who is watching me, who is dogging my footsteps relentlessly. Now that I'm aware of this fact, it is I, J., alone, without identity papers, he for whom I wait. I know that the pursuit is coming to an end. As I write, I feel a merciless eye peering through the keyhole from the other side of the door. From somewhere I hear the sound of furtive footsteps running. The investigation seems to be over. I know that, in the anteroom of a new terror, I await myself and no one else, with this suit belonging to another, with these borrowed hands, with this mask that, in the end, is an indelible mark, with this

ya a su término. Del otro lado de la puerta, mientras escribo, siento un ojo inclemente mirar a través de la cerradura. Oigo, furtivo, un correr de pasos en alguna parte. La investigación parece haber concluido. Sé que tan sólo debo esperar, en la antesala de un nuevo terror, yo y nadie más, con mi traje de otro, con mis manos prestadas, con esta máscara que es al final una marca indeleble, con esta corbata no mía pero que prefigura ya, asimismo, la horca preparada para otro, eso otro, yo-otro, yo...

tie not my own that now, all the same, suggests the gallows prepared for another, that other, self-other, self...

The Round

Marco Antonio Rodríguez

"The future dead,
grins like a knife."
George Bataille

He goes to her bedroom to ask her once more to go easy on him and his mother, to forgive his mama for serving Saturday's soup two days in a row. But she has her back to his plea, her head enclosed in a helmet of rollers, her hands covered with cream. By the light from the bedside table he notices the facial mask that reveals only a trace of her features, empty like a fish under water. He can't decide whether to lie down at her side, since he has no more to say beyond what has already been said so many times, or to leave and come back in an hour or two, after fooling himself, pretending to read back issues of boxing magazines. He turns toward the hallway and picks up the almost astral scent of her makeup and a glimpse of that obscene crack in the mirror, identical to hers.

He closes the door with the same uneasiness he felt on opening it, but just then she waves her hand at the light as though it were a cloud of moths, coughs twice. He turns into a rag doll curved into a void, his right hand soldered to the doorknob, listening to the malignant murmur she spreads through the house. It's cold, and colder still as he makes his way along the passage that

La vuelta

Marco Antonio Rodríguez

«El porvenir difunto,
alegre como un cuchillo».
George Bataille

Entra a su dormitorio para pedirle una vez más que sea indulgente con él y con su madre, que olvide el crimen de mamá por repetir la sopa de ayer sábado. Pero ella está de espaldas a su ruego, la cabeza recluida en la escafandra de los rizadores, las manos encremadas. A la luz de la veladora, él adivina la mascarilla que apenas deja libre un segmento de su vana apariencia de pez en el agua. No atina si acostarse a su lado, juzgando que no tiene más que decir de lo que ya ha dicho tantas veces, o salir para retornar después de una o dos horas, luego de embaucarse fingiendo leer revistas atrasadas de boxeo. Al girar hacia el corredor, presiente el aroma casi astral de los cosméticos y la grieta obscena del espejo, idéntica a la suya.

Cierra la puerta con la misma inquietud con que la abrió, pero en ese instante ella manotea la luz como si fuera una nube de polillas, tose dos veces. El resulta monigote encorvado al vacío, soldada la mano derecha al manubrio, atento al maligno rumor que ella desata en el aire de la casa. Hace frío, y más al franquear el pasadizo que conduce al cuarto de su madre. Perplejo, se asoma al milagro triste oliva de sus ojos cerrados. Más allá,

leads to his mother's room. Bewildered, he peeks in at the sad olive-green miracle of her closed eyes. Beyond, his trophies expire, overcome by dust.

Out in the street he stoops to tie his shoes. The light-colored net shirt reveals a neck taut with thick veins. Then he stretches his head and shakes his hands, inhales and exhales through his nose. He goes down San Juan at a slow jog, annoyed at the squalid lights in the shops, the street corner gangs —young men who still know him and move aside to let him pass—, the bars that disclose their harsh odors. When he gets to La Merced, in the glow of the church's highest dome, he thinks he sees the inane smile of Ceferino Congo, the deaf mute black who lived for a hundred years taking care of the colossal clock for the monks. When Ceferino died, the lay brother Valenzuela insisted in catechism class, there was no way to get the clock started. He crosses San Francisco Plaza and 24th at the flower stand. He climbs the hill with the pawnshops and comes to Huascar. Feeling weak, he hides in a pathetic way, pressing himself against a door. He barely notices the bundles crawling with cockroaches in the stalls, the raspy slash of their screeching that rips the night's squid belly. He breathes fast and double time, tensing his head until the tendons in his neck jump like wet hares. (Punish his muscles and prove that they are still vigorous or wander in search of their dispersed joys, like a caged jaguar looking for his lost liberty, that used to be all he needed before returning to his routine conformity, but now his will slips away like the cord of a broken toy.) He is tormented by the thought that someone might recognize him. Maybe if he goes back home. Or looks for his friends. Or goes off to forget with a bottle of Lima Dry

expiran sus trofeos sometidos por el polvo.

Ya en la calle, se inclina para amarrar sus zapatos. El buzo claro, de red, descubre el cuello tensado por anchas venas. Luego estira la cabeza y sacude las manos, aspira y devuelve el aire por la nariz. A trote lento, desciende San Juan, hostigado por las escuálidas luces de las tiendas, las jorgas de mozos esquineros que aún le conocen y le abren paso, las picanterías que divulgan sus olores raspantes. Al llegar a La Merced, en el relumbre de la última cúpula de la iglesia, cree ver la insulsa sonrisa de Ceferino Congo, el negro sordomudo que vivió cien años cuidando el colosal reloj de los frailes. Cuando Ceferino murió, aseguraba el lego Valenzuela en las clases de Catecismo, no hubo modo de echar a andar el reloj. Atraviesa San Francisco y la 24 a la altura de la venta de ilusiones. Trepa la cuesta de las contadurías y da a la Huáscar. Desfalleciente, se esconde de una forma lamentable, oprimiéndose contra una puerta. Apenas repara en los bultos en que se apilan cucarachas sobre los merenderos, en el bronco navajeo de su chillería que desgarra el vientre calamar de la noche. Respira a doble y veloz ritmo, atirantando la cabeza hasta que los tendones del cuello le brincan como liebres mojadas. (Mortificar sus músculos y probar que aún están briosos o merodear por sus dispersas alegrías como un jaguar enjaulado por su extraviada libertad, le bastaba para volver a su rutinero conformismo, pero ahora su voluntad se le escabulle como el cordaje de un juguete arruinado). Le atormenta la idea de que alguien le reconozca. Quizá si regresa a casa. O busca a sus amigos. O va a olvidarse frente a una de Lima y los pasillos. Un impulso roñoso, igual que el tufo que está medrando a su lado, le cruza los nervios. Exasperado, se registra los bolsillos y junta

and some *pasillos*. A spiteful impulse, like the bad smell that is growing at his side, runs through his nerves. Exasperated, he checks his pockets and pulls out all the money he finds.

Two forces face off inside him, both confusing: one compulsive but far too soft, and the other like a rough and merciless bulk in league with time. No matter how much he turns over that obscure card that is his mind, he sees no other way out of this insufferable depression than the revenge that has been flattening his blood these past months with an announcement of death dully calculated.

The secret fumes from dregs of beer, clouds of tobacco smoke, and sweat in La Esperanza pierce his tongue. There aren't many people in the bar, the word Sunday comes to mind, all men, except for one shirveled-up woman who drinks alone at a table at the far end. The walls are covered with a crust marred here and there by sketches of sex organs and hearts pierced by phrases regretted. Behind the bar the bartender, a trouble-maker, glides toward him. He is a nervous man, like a lizard, his face the color of grape stains from sleepless nights, wearing a plush cap that bobs on his head. He hops up and down like a prick, waves his towel, blinks like someone blessed. He shouts at him, champ, and the sound wades through the *cumbia* bursting off-key from the jukebox. No one else notices his presence, but he feels a comforting elation and comes in pumping up his muscles. When he reaches the bar the little man in the cap rushes at him with a cross fire of rounds of *aguardiente* and puerile flattery. He settles down to his drink, waving off the bartender's obsequious words.

todo el dinero que encuentra.

Dos fuerzas lidian en él, ambas confusas: una compulsiva pero excesivamente blanda, y otra semejante a una corpulencia áspera y despiadada con la cual el tiempo se confabula. Por más que revuelve el naipe oscuro de su cerebro, no halla otro remedio para su insufrible abatimiento, que aquella venganza que en los últimos meses allana su sangre en un anuncio de muerte pastosamente calculado.

El vaho de concho de cerveza, humarada de tabaco y sudores clandestinos de La Esperanza, penetran a sus papilas. Hay poca gente en el salón, él recuerda la palabra domingo, todos hombres, menos una mujer seca que bebe sola en una mesa del fondo. Las paredes están cubiertas por una costra interrrumpida a trechos por rasguños de sexos o corazones ensartados por frases remordidas. Detrás de la barra, la figura revoltosa del cantinero se escurre hacia su dirección. Es un hombre nervioso como una lagartija, la cara enmostada por los trasnochos, con un gorro felpudo gambeteándole en la cabeza. Da saltitos pendejos, ondea su mantel, parpadea como un bendito. Le grita campeón y su grito vadea las notas empasteladas de una cumbia que rompe desde la rocola. Nadie más advierte su presencia, pero él siente un arrebato reconfortante y entra soplando sus músculos. Al llegar a la barra, el hombrecito del gorro le ataranta con el fuego cruzado de turnos de aguardiente y adulos pueriles. El bebe a destajo, callando los halagos del cantinero.

Le sobresalta un manotazo en las espaldas. Maneja el taburete en redondo, enacerando las mandíbulas y dilatando los párpados amortiguados por los primeros tragos. Es Cachorro Céspedes, su viejo ídolo: una claudi-

A slap on the back takes him by surprise. He swivels around on the stool, jaw tensing and eyelids, numbed by the first drinks, widening. It's Pup Cespedes, his old idol: a hobbling grey hulk, eyes nearly buried in fat and a dirty tangle of hairs on his neck. Champ, they both say, falling into a long embrace heavy with secret complicity. Still champ? The words bubble out at him. Sure am, my boy, says the old man, caressing him with a fake jab to the chin.

They move to a table near the woman. It's One-Eyed Moncayo, the Pup swears, Coronel Arcentales's daughter. When she was in her prime we used to call her the Lobster because the good part was behind. Like everyone else in the neighborhood, the King knows the story, but he laughs and looks the spent woman over. He's intimidated by the gaze in her vulnerable eye, the grimace on her waxy, toothless mouth, but he keeps on looking. The Pup distracts him, faking a punch with his flabby fists. It's like being at La Arenas, except there's no fans, he jokes. Sure, laughs the King, leaning back in his chair, preening like a champ. The drunks turn to look, timid, reticent, and they start laughing too. The Pup asks for a bottle of Cristal and cigarettes and the King that they play *Tormentos y Rebeldía* on the jukebox. The bartender goes from one end to the other, trying to please them, twitching his sinewy butt. As the Pup hunches over in the chair, squints and curls his lips, something clicks in his mind and he says, The good times, boy, they're the ones that get you hot in the crotch, but the times you're down, they get to you. Now he shoves his sliced rye face toward the center of the table, tips over a glass with his left, picks it up, roars, Know what, King? Drink up and I'll let you in on

cante mole gris, casi borrados los ojos por la grasura y un enredo sucio de pelusas en la nuca. Campeón, se dicen, entregándose en un abrazo inacabable, grávido de complicidades secretas. ¿Todavía campeón? le burbujean las palabras a él. Todavía muchacho, contesta el viejo, acariciándole con un simulacro de jab al mentón.

Se instalan en una mesa cercana a la de la mujer. Cachorro garantiza: es la Tuerta Moncayo, la hija del Coronel Arcentales. En sus buenos tiempos la llamábamos La Langosta, porque tenía la comida atrás. Rey conoce la carambola como todos los del barrio, sin embargo ríe y ve a la mujercilla con desparpajo. Le intimida la mirada de su ojo desamparado, el muequeo de su boca lacre y desdentada, pero se queda mirándola. Cachorro le disipa amagando golpearle con sus puños migajosos. Es como estar en La Arenas, sólo que sin público, chistosea. Ya, ríe Rey sobándose campeonamente contra el espaldar de la silla. Los borrachines le regresan a ver, tímidos, involuntarios, y se contagian de su risa. Cachorro pide una de Cristal y cigarrillos, Rey que le pongan en la rocola Tormentos y Rebeldía. El cantinero va de un lado a otro, complaciéndoles, batiendo las piltrafas de sus nalgas. Cachorro se amontona en el asiento, ensambla las rayas de los ojos, abarquilla los labios, prende la velita de la azotea, dice: los buenos tiempos muchacho, son los que le calientan las entrepiernas, los golpes en cambio, le curten el alma. Ahora empuja su cara centeno cortado a la mitad de la mesa, tumba un vaso con la zurda, le vuelve a su sitio, leonea: ¿sabe, Rey? tome y le enseño: un boxeador es un petardo, chispea poco, cuatro o cinco años, en los otros asimila el castigo, en los demás se faja con la vida si le han dejado entero al hombre. «Tormentos y penas rasgan ayayayaya-

something: A boxer is a firecraker, sends out a few sparks, four or five years, the rest of the time he takes a beating, that's when he's having it out with life, if they've left the man in one piece. "*Torment and suffering rip ayayayayayayay, through my chest, my chest torn to pieces...*" There's no moss growing on you yet, King, why don't you make a comeback, or get yourself a business of your own, the Pup goes on philosophizing, and his licked cork heart floats on the words, I'm not doing bad myself, selling french fries, I stopped being a guard dog for the politicians, I know what I'm talking about, they're not our people, King, they might be a lot of things, they're not ours. "*I have somebody else to love, considerate and better than you, she doesn't know how to take advantage of two...*" The King isn't listening to the advice of the only man he's ever admired, though a smile hides his indifferent air. He needs time to drink and to think. He thinks of the blinding sunny days when she and his mother got his bag ready, shook out the velvet cape, arranged the slippers, the ankle supports, the bandages soaked in linaments, and then outside, surrounded by the bird-like shrieks of boys who shoved to get to him, he broke with satisfaction through the protective wall formed by his assistants and anticipated the unbeatable blush of glory, kissing her fresh and anxious lips, certain he had the world in his fists. He thinks of the fights of his life, while the Potolos blaspheme like fearless studs: «*Lord, I'm not satisfied with my fate, or with the hard law you've decreed...*" Angel Rey Clonares vs. Dinamita Altamirano, Fugenio Pedroza, Duke Olivares, Bocón Lobato, Marvin Curry, Charlie Leo Hagler. "*...because there's no qood reason for sending me this lousy luck...*"

yayay, mi pecho, mi pecho despedazado»... «Todavía no hay mosca que se le pare encima, Rey, por qué no vuelve, o si no, búsquese un negocio propio —sigue filosobarreando Cachorro, y su corazón corcho lamido reflota sobre las palabras—, a mí no me va mal con las papas fritas, deje de ser perro guardián de los políticos, yo sé lo que le digo, no son de los nuestros, Rey, todo serán, pero no son de los nuestros. «Otra tengo a quien querer, discreta y mejor que vos, no sabe engañar a dos...» Rey no atiende al fraseo admonitorio del único hombre que ha admirado en su vida, aunque encubre sonrisa al aire su indiferencia. Le falta tiempo para beber y pensar. Piensa en los días atascados de sol cuando ella y su madre le alistaban el maletín, sacudían la capa felpuda, ordenaban las zapatillas, los soquetes, las vendas curadas, y ya afuera, en medio del chirreo de pájaros de los niños que braveaban por llegar a él, rompía contento el muro protector erigido por sus ayudantes y adelantaba el sonrojo único de la gloria, besando los labios frescos y ansiosos de ella, seguro de que tenía el mundo en sus puños. Piensa en las peleas de su vida, mientras los Potolos blasfeman cojonudamente: «Señor, no estoy conforme con mi suerte, ni con la dura ley que has decretado...» Angel Rey Clonares vs. Dinamita Altamirano, Fugenio Pedroza, Duque Olivares, Bocón Lobato, Marvin Curry, Charlie Leo Hagler «...pues no hay una razón bastante fuerte para que me hayas hecho desgraciado...». El siempre de lado, cazurro, su guardia constante, la mano izquierda en alto, la derecha a medio cuerpo, usando sus ganchos terremotos o su un dos que los rivales sabían eran anestesia de hospital. «...Y no has querido oírme o no has podido...» Ahora atrapa su figura agradable de los carteles de feria, más bien de profesor

He always off to the side, wary, his guard up, left hand raised, right at waist level, using his earth-shattering hook or the one-two that rivals knew was a sure trip to the hospital. "*...And you've decided not listen to me or you haven't been able...*" Now he zeros in on his good-looking figure in the fight posters, more like a dancing teacher than a boxer: the kinky hair, the severe forehead, the fine nose and chin, the proud eyebrows, the small, cunning eyes. *...take your sentence and my pain...*" He thinks of her light brown skin, but at chest level. *...I'll pay my bills when I can...*" as though a lamp were lighting her up from inside, a warm and fleshy whiteness bursting from her. "*...I'll give you back the life you gave me.*" And the hands of another, possessing her.

They drink until dawn. Defeated, jubilant. Vowing eternal friendship, faking impetuous fights, talking about the old times and the petty business of life, sharing their sinister secrets, the Pup annoying the few cats drinking that night in La Esperanza, swaying his three-man closet girth in imitation of the bartender, the King, taking care to maintain his reputation —the drinker who never gets drunk—, sinking his gaze from time to time in an undefined point along the shelves and grinding his teeth, both of them letting the music penetrate and rummage about with its little claws of sadness in the whithered thickets of their chests.

The King makes his friend comfortable on an improvised cot of newspapers in the back room. He scribbles an IOU. He picks out some still smokable butts. He runs his fingers through his hair. On leaving, he sees One-Eyed Moncayo nodding off at the entrance to the bar. Fucking luck, he mutters. In the semi-darkness of the street, his imagination begins to enjoy

de baile que de boxeador: el pelo zambo, la frente adusta, la nariz y el mentón finos, las cejas engalladas, los ojos chiquitos y tunantes. «...revocar tu sentencia y mi condena...» Piensa en la piel ligeramente mulata de ella, pero a la altura de su pecho. «...Ya saldaré mis cuentas cuando pueda...», y como si una lámpara la alumbrara desde adentro, brotándole una blancura tibia y carnosa. «...devolverte la vida que me diste». Y las manos del otro, poseyéndola.

Beben hasta la madrugada. Derrotados, jubilosos. Jurándose amistad eterna, simulando raudos combates, hablando de los tiempos idos y del mezquino negocio de la vida, confiándose sus tugurios secretos, Cachorro jorobando a los pocos gatos que bebían esa noche en La Esperanza, meneando su espesor de armario de tres cuerpos para remedar al cantinero, Rey, manteniendo su caché de bebedor imborrachable, sumiendo de rato en rato su mirada en un punto indefinido de la estantería y rechinando sus dientes, ambos dejando que la música les penetre y hurgue con sus garritas de tristeza las enjutas matas de sus pechos.

Rey acomoda a su amigo en la trastienda, sobre un improvisado catre de periódicos. Garabatea un vale. Escoge los puchos más fumables. Se zarandea el pelo. Al salir, ve a la Tuerta Moncayo cabeceando en el umbral del salón. Puta suerte, masculla. En la semipenumbra de la calle su imaginación comienza a disfrutar de los pormenores de su venganza. Entonces, emprende el regreso.

Al principio observaba el carro, inofensivo y lejano, presto a esfumarse en cualquier momento por los recovecos de la vecindad. Más tarde lo percibió a pocas cuadras, perdiendo el miedo, espiando ladinamente los

the details of his revenge. Then he heads back.

First he noticed the car, inoffensive and distant, about to disappear at any moment in the twists and turns of the neighborhood. Later, fearless, slyly spying the outline of his house, he saw it a few blocks away. Then he felt its existence like a dangerous though ambiguous reality, aggressive, pawing, blowing its horn at Bertha's delay, and Bertha running hard, now I'm screwed, Angel, now I'm screwed, the boss just came, coming down the steps like a gust of wind, now I'm screwed, Angel, blowing on fingernails just polished. And he approaching the window, out of breath, clutching his vicious anguish against his heart, as though it were his wife's body.

A troop of drunks comes along the Cruz Verde. He doesn't like their looks and tries to duck them. It's too late. The pickpockets knock him down, whip the air with their orders, confuse him with their tragic drunken orgy steps. I'm Angel Rey Clonares, you bastards, he shouts, and searches like a blind hen for an opening, but he keeps crashing against a wall of angry shoves. They pin his arms and frisk his pockets. He's clean! the pickpockets announce. Pimp! howls a pinched hunchback, landing a kick straight to his stomach. Angel falls doubled over. I'm Angel Rey Clonares, his lips pray.

He wakes up feeling an implacable pain in his bones, as though they'd been ground in a printing press. With his right eye, the only one he can open to the size of a dime, he glimpses an insignificant horizon of fugitive lights. Not a single thought can clear his head. Behind him everything has ended without demands, but in his shred of time now remote and paid in full, the body

contornos de su casa. Después palpó su existencia como una peligrosa aunque ambigua realidad, agresiva, piafante, bocinando las demoras de Bertha, y Bertha corriendo afanada, ya me fregué, Angel, ya me fregué, ya llegó el jefe, bajando como un soplo la gradería, ya me fregué, Angel, venteándose las uñas recién esmaltadas. Y él avanzando a la ventana, faltándole el aliento, apretando su viciosa angustia contra el corazón, como lo haría con el cuerpo de su mujer.

Por la Cruz Verde, una tropa de ebrios viene en su rumbo. El sospecha de su catadura y trata de eludirla. Es tarde. Los rateros le atropellan, chicotean el aire con sus órdenes, le desconciertan con sus pasos de farra trágica. Soy Angel Rey Clonares, hijueputas, grita y busca gallina ciega un sitio vulnerable, pero siempre se estrella con un tapial de rabiosos empellones. Le sujetan los brazos y cachean sus bolsillos. ¡Está pelado!, informan los bolsiqueadores. ¡Cabrón! aúlla un hombre añarrado y giboso, asestándole un puntapié en la boca del estómago. Angel cae ovillado. Soy Angel Rey Clonares, rezan sus labios.

Se despierta sufriendo un dolor implacable en los huesos, como si le hubieran molido en una rotativa. Con su ojo derecho, que es el único que puede abrir el volumen de una moneda, divisa un insignificante horizonte de luces fugitivas. Ningún pensamiento es capaz de aclarar su mente. Detrás de él, todo ha prescrito sin exigencias, pero en su jirón de tiempo ya remoto y devengado, porfía el cuerpo de una mujer desbaratada por sus golpes. Sólo eso. Sin embargo, aún le anima su siniestra decisión. Poco a poco, en lugar del dolor, se le aloja una sensación de ajenidad y termina por sonreír, a pesar de que el gesto vuelve a recordarle que nunca más será él

of a woman bobs up, ruined by his blows. Only that. Nevertheless, he is even now animated by his sinister decision. Instead of pain a feeling of detachment comes over him little by little, and he ends up smiling, even though the gesture reminds him again that he will never be himself. He thinks of the Pink Panther cut into dozens of little squares. He stops at the one that has one of the eyes —maybe the right one—, and it's as though he were looking through it, the Panther cries about the fragments of its body, lost in previous sequences. He gets halfway up. Propped against the wall, he tries to move on, managing the tottering of a shattered animal. *«And you thought you were King of the hill...»* the Panther, dressed like a Mexican cowboy, sings in his head.

Her position hasn't changed since he left her. He gets undressed with difficulty. Then he gets into bed, slowly. He pulls up his wife's nightgown and slips down the tiny silk panties, rolling them to her knees. She takes care of the rest with expert though heavy movements as a grimace of boredom flickers around her mouth and her eyes remain closed. He covers her with his body and says into her ear, my queen, penetrating her and noticing the unmistakable smell, fear of his blood.

mismo. Piensa en la Pantera Rosa parcelada en decenas de cubitos. Se detiene en aquel que guarda uno de sus ojos —tal vez el derecho—, y mira cómo desde él, la Pantera llora los fragmentos de su cuerpo, perdidos en las secuencias anteriores. Se incorpora a medias. Arrimado a la pared, intenta adelantar, consiguiendo un bamboleo de animal escombrado. «Y tú que te creías el Rey de todo el mundo...», canta en su cabeza la Pantera vestida de charro mejicano.

Ella está en la misma posición en que la dejó. El se desviste con dificultad. Entra luego en la cama, despacio. Sube la bata de dormir de su mujer y desliza el mínimo calzón de seda, arrollándolo hasta cerca de las rodillas. Del resto se encarga ella con expertos aunque lerdos movimientos, en tanto dibuja un mohín de aburrimiento en su boca, sin abrir los ojos. El la cubre con su cuerpo y le dice al oído mi reina, penetrándola y detectando el inconfundible olor a miedo de su sangre.

Night Train

Abdón Ubidia

She heard a deep whistle followed by the clatter of a train approaching at high speed. Silent, trembling, with her eyes open in the dark, she imagined pounding rods and pistons and gusts of steam convulsively escaping from between rusted iron wheels and tracks mired in grease and filth, a wealth of steel upon steel. But this was absurd, the train station was at the other end of the city. It was impossible to hear anything that went on over there. It's true that insomnia sharpens the senses, energizes them, extends their range, enabling them to pick up signals, details that during the day remain hidden, drowned out by the riotous display of urban traffic. One can hear the periodic creaking of wood settling in wardrobes. Or the gnawing of small animals opening tunnels and galleries in brick and lime walls. Or insects self-destructing against windows in the night. Or one's own breathing. Or, beyond, the murmur of a sleeping city —a distant din, the sum of restless mutterings, faraway cars fleeing, isolated howls, echoes of remote factories, solitary footsteps, night watchmen's whistles, cries, possibly, and songs, possibly, coming from bars open until dawn. But the train station was at

Tren nocturno

Abdón Ubidia

Oyó un profundo silbato seguido del estrépito de un tren que se acercaba velozmente. Callada, temblando, con los ojos abiertos en la oscuridad imaginó los émbolos y barras que se golpeaban, los chorros de vapor que escapaban furiosamente por entre la herrumbre de ruedas y rieles sucias de fango y de grasa, ese caudal de aceros sobre aceros. Pero era absurdo, la estación de ferrocarriles se encontraba en el otro extremo de la ciudad. Era imposible escuchar nada de lo que allí ocurriera. Cierto es que el insomnio agudiza los sentidos, los prolonga, los electriza, los hace capaces de captar señales, detalles que durante el día permanecen ocultos, ahogados por las impetuosas imágenes del tráfago urbano. Se puede oír el crujir periódico de las maderas que se acomodan en el armario. O el roer de un animalito que abre túneles y galerías en la cal y el ladrillo de las paredes de la habitación. O el destrozarse de los insectos que vienen de la noche contra los vidrios de las ventanas. O la propia respiración. O más allá el rumor de la ciudad dormida —un lejano fragor, una suma de murmullos inquietantes, remotos autos que huyen, aullidos aislados, ecos de distantes fábricas, de pasos solitarios, de silbatos de

the other end of the city and it wasn't possible to hear what went on over there. Undoubtedly, she said to herself, it was only a dream. Undoubtedly, she was dreaming an attack of insomnia that was also a dream. She turned between the sheets. But the glass on the night stand began to vibrate. Then the glass' vibrations spread to the night stand itself, and then to the floors and the walls until, finally, it seemed that the entire house was being shaken by an earth tremor. She got up, took two steps, and was at the window. At that moment a train, or whatever it was, passed by the house. There was no question. But she couldn't open the curtains; she was paralyzed by fear. When the vibrations stopped and the swift running of those innumerable wheels fell gradually silent, and the cold night air began to chill her bare arms and feet, she returned almost mechanically to bed. She kept her gaze fixed on the window, as though she could see through the curtains, as though she could go on seeing that which she hadn't managed to see to begin with.

Much later she fell into a broken, stupid sleep. Before six she heard the gobbling of the neighbor's turkey. An hour later and as always, she heard, or felt, a quiet bustling that slipped among pots and pans in the kitchen: her mother returned from church.

Now she was up. Tall, thin, wrapped in a gown as white as she was that resembled a habit, she went to sit at the dressing table. The old mirror with flowers etched around the edges returned a reflection that seemed to emerge from some watery depths, that face of hers that, in spite of moisturizing lotions and nutritive creams, was beginning to crumple around the mouth and eyes. And now, added to that, the traces of insomnia. Her normal

serenos, probables gritos, probables canciones que salen de las cantinas abiertas a la madrugada—. Pero la estación de ferrocarriles se encontraba en el otro extremo de la ciudad y era imposible percibir nada de lo que allí ocurriera. A lo mejor —se dijo—, todo era un sueño. A lo mejor estaba soñando un insomnio que era además un sueño. Se revolvió entre las sábanas. Pero el vaso colocado en la mesita del velador empezó a tintinear. Luego la vibración del vaso se extendió al velador y luego al piso y luego a las paredes, por fin le pareció que toda la casa era sacudida por un temblor. Se levantó y en dos trancos estuvo parada frente a la ventana. Un tren o lo que fuera, pasaba en esos instantes frente a la casa. Era indudable. Mas no pudo descorrer las cortinas, estaba paralizada por el miedo. Cuando la vibración cesó y el raudo correr de las innumerables ruedas se fue apagando poco a poco y empezó a sentir el frío de la noche en los pies descalzos y en los brazos desnudos, retrocedió casi mecánicamente hacia la cama. Tenía la mirada fija en la ventana, como si pudiera mirar a través de las cortinas, como si continuara viendo lo que de todos modos no había alcanzado a ver.

Mucho más tarde un sueño entrecortado y bobo acabó por ganarla. Antes de las seis oyó los graznidos del pavo de la casa vecina. Una hora después y como siempre, sintió o presintió el menudo ajetreo que se escurría entre los trastos de la cocina: era su madre que había vuelto de la iglesia.

Ahora se había levantado. Alta, delgada, blanca como la túnica con trazas de hábito que la envolvía fue a sentarse frente a la peinadora. El viejo espejo de bordes con flores talladas al esmeril le devolvió como si emergiera del fondo del agua, esa cara suya que a pesar

paleness accentuated, her eyelids slightly swollen. It looked as though she'd been crying. But those eyes, still lovely, had forgotten about tears a long time ago. At least it was difficult to imagine tears in that oval face which was rather stern, rather disdainful and stoic at the same time.

"Why so early on a Saturday?" said the mother when she saw her appear in the kitchen doorway.

"Mama, you heard it!" she exclaimed. Before the mother was able to ask, she rushed on to say, "The train!"

The mother's eyes widened in astonishment.

"It went past the house," the daughter said.

The mother couldn't think of anything to say. She looked at her out of the corner of her eye: those little eyes underscored by violet circles observed her closely. She was bathed in the morning light, hazy and gray, that came from above through the square panes of a narrow window. Immobile behind a small table covered with white oilcloth, her body inclined slightly forward, holding a cup and a saucer in her knotted, parchment-like hands, the mother looked the very image of Saint Ann. "You've had a nightmare," she wanted to say. "You mustn't worry about it," she wanted to add. She said nothing. It was preferable to say nothing. In these last years she had learned to fear her. And now that she saw her, pale, tense, it was not worth doubting her word: their day might be spoiled as a result. It had happended before. Yes, it was better to say nothing. Nothing would be gained by provoking her. Maybe she was having evil visions. Maybe it was just nerves. "She'll soon forget about it," the mother said to herself, putting the cup on the small table, as if the gentle descent of her arm

de las cremas humectantes y las cremas nutritivas, empezaba a ajarse hacia la boca y hacia los ojos. Esta vez había que añadir también las huellas dejadas por el insomnio. Su palidez habitual acentuada, los párpados ligeramente hinchados. Era como si hubiese llorado. Pero esos ojos, todavía hermosos, hace mucho tiempo que habían olvidado las lágrimas. Al menos era difícil imaginarlas en aquel rostro oval, más bien adusto, más bien desdeñoso y estoico a la vez.

—¿Por qué tan temprano si hoy es sábado? —dijo la madre en cuanto la vio aparecer en el recuadro de la puerta de la cocina.

—Mamá, lo oíste. —Exclamó ella. Antes de que la madre alcanzara a preguntar, se apresuró a decir:

—El tren.

La madre abrió unos ojos asombrados.

—Pasó frente a la casa —dijo la hija.

La madre no atinó a decir una palabra. La miraba de soslayo: sus ojillos escrutaban atentos por detrás de sus ojeras violáceas. La luz de la mañana, difusa y gris, la bañaba desde lo alto de una estrecha ventana de vidrios cuadrados. Inmóvil detrás de la mesita forrada de marroquí blanco, el cuerpo levemente inclinado hacia adelante y sosteniendo un plato y una taza entre sus manos nudosas y apergaminadas, la madre se parecía a Santa Ana. «Has tenido una pesadilla», quiso decir. «No debes hacerle caso», quiso añadir. Pero calló. Era preferible callar. En los últimos años había aprendido a temerla. Y ahora que la veía demudada, tensa, no valía la pena poner en duda ninguna de sus palabras: acaso sería un pretexto que acabaría por estropearles el día. Ya había ocurrido en otras ocasiones. Sí, era preferible callar. Nada ganaría provocándola. Quizá fue una visión malig-

accompanied by a fleeting frown were a comment. Her mind was blank. She could not think of a single thing to say.

The daughter observed the descent of the cup to the oilcloth covered table top. She also observed the mother's narrow forehead. It was truly strange: with no more than an almost imperceptible movement of the eyebrows, amazement became pathos. Evidently, the mother had heard nothing unusual the night before. And if she had heard, she would have denied it. And forgotten about it. The elderly had their own forms of madness, their own stubbornness in which they hid, blindly, out of fear, out of tiredness, out of weariness, who knows why. And her mother was given to contrariness, as far as she was concerned. And she would have denied it. But now she didn't know what train the daughter was talking about. "She thinks I'm hallucinating," she thought. "You think I'm going mad," she was going to say. But the words did not leave her mouth. That would have begun an absurd argument. As on other occasions. That would have ended up by spoiling their day. As at other times. She said nothing.

"A train?" the mother said.

It was a question without emphasis, barely whispered, the intonation neutral, as though directed at herself. Because a change of conversation was in order, the daughter decided to avail herself of that air of contrariness and abandon, that familiar and worn-out gesture that was never anything more than a habit learned in the distant past, and to say to her, "Forget it, it was a nightmare," and to go on with any old comment that would dissipate the mother's concern.

"A train?" murmured the mother.

na. Tal vez fue asunto de los nervios. «Ya se olvidará», se dijo bajando la taza hasta la mesita como si ese suave descenso del brazo acompañado de un breve encogimiento del entrecejo, fueran ya una opinión. Tenía la mente en blanco. No se le ocurría decir una palabra.

La hija observó el descenso de la taza que se posaba sobre el marroquí de la mesita. Observó también la angosta frente de la madre. En verdad era extraño: bastaba un casi imperceptible movimiento de las cejas para cambiar el asombro por el patetismo. Era evidente que la madre no había escuchado nada raro la noche anterior. De escucharlo, hasta se lo hubiera negado. Y olvidado. Los viejos tienen sus propias manías, su propia tozudez en la cual se esconden ciegamente por miedo, por cansancio, por hastío, vaya a saberse por qué. A su madre le había dado por llevarle la contraria. Y se lo hubiera negado. Pero ahora no sabía de qué tren le estaba hablando. «Cree que tengo alucinaciones», pensó. «Crees que estoy volviéndome loca», iba a decir. Las palabras no alcanzaron a salir de sus labios. Aquello sería como iniciar una discusión absurda. Como otras veces. Aquello terminaría por estropearles el día. Como otras veces. Calló.

—¿Un tren?—dijo la madre.

Fue una pregunta sin énfasis, como aspirada, con una entonación casi neutra tal que si fuera dirigida hacia sí misma. A la hija le pareció oportuno cambiar de conversación, acogerse a ese aire de contrariedad y abandono, a ese gesto familiar y atávico que nunca significó otra cosa que una costumbre aprendida desde siempre, y decirle: «Olvídalo, fue una pesadilla», y hacer a continuación un comentario cualquiera que disipara las inquietudes de la madre.

The silence of a mausoleum, or of a cave kept them suspended in a time without minutes or seconds. The daughter closed the top button of her bathrobe and shuffled over to the sink. The tap was dripping lazily into the shiny metal basin. She closed it tight to stop the dripping. Now the silence was complete.

Salvation came from above, as though from heaven. On the top floor, at the other end of the house, a bell rang, the father calling. "Dear Lord, he's awake," said the mother, and losing herself in a swirl of activity, she quickly prepared a glass filled with three parts of hot and one of cold water from the tap plus a teaspoonful of standing water kept in the refrigerator. "I'm bringing it right up," the mother said, her voice a thread only she could hear. A little later her footsteps sounded on the wooden spiral staircase.

The daughter watched her disappear through the balusters of the staircase. Then, apathetically, she called, "Pepin, where've you gone off to?"

She felt him press against her legs. He'd come out from under an easy chair. "Silly cat, if you're not called, you don't come," she said to him, going back to the kitchen.

Pepin followed her with elastic contortions accompanied by short miaows. She filled his bowl with milk and went toward the door leading to the back patio. She opened it. Outside, the sun cast a frail light on everything. At the back of the patio, next to the posts from which washlines were hung, was Boby's empty doghouse. The poor thing died of old age, pure and simple. He must have been more than twenty. Towards the end, he did nothing but sleep. And not even Pepin's clawings disturbed him. Slow, his back bound in a tangle

—¿Un tren? —murmuró la madre.

Un silencio de panteón o de caverna las mantuvo suspendidas en un tiempo sin horas ni segundos. La hija se abrochó el último botón del salto de cama y se arrastró hasta el lavabo. La llave goteaba perezosamente sobre el reluciente acero. La cerró con fuerza para que no goteara más. Ahora el silencio era completo.

La salvación vino de arriba, como del cielo. Desde el piso superior y desde el otro extremo de la casa, llegaba el retintín de la campanilla del padre que llamaba. «¡Jesús! se ha despertado», dijo la madre perdiéndose en un arremolinamiento del aire que la llevó a preparar, en un instante, el vaso con las tres partes de agua caliente y una parte de agua fría y la cucharadita de agua en reposo guardada en el refrigerador. «En seguida te la llevo», dijo la madre con un hilo de voz que sólo ella escuchó. Poco después se la oía subir por la escalera de madera en forma de caracol.

La hija la miró desaparecer entre el tejido de los soportes de la escalera. Luego, apática, llamó:

Pepín, ¿dónde te has metido?

Lo sintió apretarse contra sus piernas. Había salido por debajo de un sillón.

—Gato tonto, si no se te llama no vienes —le dijo, entrando nuevamente a la cocina.

Pepín la siguió con elásticas contorsiones acompañadas de breves maullidos. Ella llenó su tazón con leche y se dirigió hacia la puerta que daba al patio trasero de la casa. La abrió. Afuera un sol desvaído iluminaba las cosas. Al fondo del patio, junto al poste que sostenía los alambres para colgar la ropa, estaba la caseta vacía de Boby. El pobre se murió de puro viejo. Tendría más de veinte años cuando se murió. En sus últimos tiempos no

of hair matted with filth because no one bothered to bathe him, his mouth always open, panting, eventually he had strength only to get up from time to time, sniff around the corners of the patio as though moved by an instinct he barely remembered, and return to collapse on the frayed rags in his doghouse. Finally, he died.

"Do you miss him?" she asked Pepin.

Pepin looked up at her with emerald green eyes, then closed them almost sweetly as he licked his paw and brushed it over whiskers and ears. She talked to Pepin as though he were human, just as she had once talked to Boby or, before him, to Tony, or as she had also talked to the canary and the macaw, to all the dogs, cats, and birds that appeared and died in her life and that were now no more than vague spaces in her memory, vague, docile shapes to which she always attributed rudimentary feelings of affection that they bestowed on her for almost nothing in return. One day, years before, she promised herself to stop talking to animals. "I must not speak to them as though they were persons," she told herself. On another occasion she vowed not to talk to herself out loud when she was alone. And at first she tried to resist the temptation to do both. But, little by little, the habits of an unmarried existence took over, and then she found herself talking to herself or to animals as though to do so were the most natural thing in the world. Now it hardly mattered. Pepin would be the last pet in that house. "No more animals," her father had said, months before, looking at Boby's empty doghouse. "No more silly suffering," her mother had insisted. And, for once, she felt that they were right.

"Do you miss him?" she asked Pepin.

As Pepin again closed those crystalline eyes, she

hacía otra cosa que dormir. Y ni siquiera los arañazos de Pepín le molestaban. Lento, el lomo cuadrado por la gordura, sofocado por un revoltijo de pelos endurecidos por una mugre que a nadie le interesaba limpiar, el hocico siempre abierto, acezante, ya sólo tenía fuerzas para levantarse de vez en cuando, husmear por los rincones del patio como movido por una costumbre que ya no alcanzaba a recordar, y volverse a echar sobre los trapos deshilachados de su caseta. Por fin se murió.

—¿Lo extrañas?—le preguntó a Pepín.

Pepín alzó hacia ellas sus ojos verde esmeralda, luego los cerró casi con dulzura al tiempo que se pasaba la pata lamida por los bigotes y las orejas. Le hablaba a Pepín como a una persona, como en su hora le habló a Boby, o antes de él a Tony, o como le habló también al canario y al guacamayo, a tanto perro, gato o pájaro que asomó y murió en su vida y que ahora no eran más que vagos espacios de su memoria, vagas formas dóciles a las que atribuyó siempre una suerte de cariño elemental que le era prodigado a cambio prácticamente de nada. Un día, años atrás, se propuso no hablar con los animales. «No debo hablarles como si fueran personas», se dijo. Otro día juró no hablar más en voz alta cuando estuviera sola. Y en principio trató de resistir a la tentación de hacerlo. Mas poco a poco, los hábitos de la soltería la fueron ganando, y luego se encontró hablando sola o con los animales como si fuera la cosa más natural del mundo. Ahora eso importaba menos. Pepín sería la última mascota de la casa. «Nunca más animales», había dicho el padre, meses atrás, mirando la caseta vacía de Boby. «Nunca más sufrimientos tontos», había insistido la madre. Y por una vez, ella sintió que tenían razón.

—¿Lo extrañas?—le preguntó a Pepín.

looked at the angle formed by the bannister and the kitchen doorway, partially blinded from the light in the patio. Her mother was staying up there for a long time. There was no telling what she was saying to the father. "She shouldn't tell him about the train," she murmured to herself. She sat down at the edge of a chair.

With her elbow resting on the table, she placed a hand, visor-like, over her mouth. With the other hand, she played with a teaspoon laid for a breakfast that wasn't being prepared: a little coffee and two slices of toast with honey, to keep her weight down. Periodically she tapped the cup, still upsidedown on the saucer. She felt her mother come up from behind and look at her wordlessly. She didn't turn around, it wasn't necessary, and, besides, she assumed that the look would hold the same old reproach: "Why didn't you get married?" she would be saying. She knew that all answers were useless. The mother had learned to shut herself up in her own way of thinking and nothing could get at her there. It made no sense to tell her that it was their fault, for their stupid insistence upon bloodlines that never existed, that time and again frightened off the man who had once sought her out with a shadowy and cautious persistence she never managed to explain to herself satisfactorily, and who, in some part of her memory, especially on sleepless nights, continued looking for her, circling her, clinging still to the fervor of old, and who, just maybe, she would have grown to love. It was useless to let herself be taken over now by pointless anger and to respond to that reproach with still another reproach, equally pointless, because, in any event, the mother said nothing; she folded herself up in a gloomy silence, though she would be wordlessly repeating the question

Mientras Pepín volvía a cerrar sus ojos como de cristal, ella, algo encandilada por la luz del patio, miró el ángulo que formaba el pasamano de la escalera con el umbral de la puerta de la cocina. Su madre se demoraba allá arriba. Estaría diciéndole quién sabe qué cosas al padre. «No debí contarle el asunto del tren», murmuró para sí. Se sentó muy al filo de una silla.

Tenía apoyado un codo sobre la mesa y la mano curvada sobre la boca como una visera. Su otra mano jugueteaba con la cucharita dispuesta para el desayuno que no llegó a prepararse: un poco de café y dos tostadas untadas con miel de abeja para no engordar. A veces la golpeaba suavemente contra la taza todavía puesta boca abajo sobre el plato. Sintió que su madre llegaba a sus espaldas y que la miraba en silencio. No regresó el rostro hacia ella, no era necesario, de todos modos adivinaba en su mirada el mismo viejo reproche, «por qué no te casaste», le estaría diciendo con la mente. Ella supo que era inútil toda respuesta. La madre había aprendido a encerrarse en sus propias razones y de allí nadie lograba sacarla. No tenía sentido decirle que fue por ellos, por su tonto apego a un abolengo que no existió jamás, que huyó y rehuyó al hombre que en otro tiempo la buscó con una insistencia sombría y cauta que ella nunca alcanzó a explicársela muy bien, y que en algún sitio de su memoria, sobre todo en las noches de insomnio, continuaba rondándola y buscándola aferrado siempre a su antiguo fervor, y a quien acaso hubiera llegado a amar. No tenía sentido dejarse arrastrar por una ira ya inútil y responder a ese reproche con otro reproche también inútil porque de todos modos la madre callaba, se replegaba en su torvo silencio aunque una y otra vez estuviera repitiéndole, en el pensamiento, la misma frase rumiada

she mulled over eternally and never uttered. "Why didn't you get married? Why?" as she came up from behind and stood beside her, looking at but not seeing the immaculate porcelain cup still upsidedown on the saucer, and asked whatever came to mind, about breakfast, for example, any false, hollow remark that would serve to better hide her thoughts.

"You haven't had breakfast yet?" said the mother.

An icy blaze flashed through the air.

"You haven't had breakfast yet?" said the mother.

"Yes! I've had breakfast!" her daughter nearly shouted as she got up abruptly and fled from the kitchen, propelled by the congested blood rising to her face, but it was not enough to make her cry because, in the end, nothing was enough to make her cry now.

It was unreal, that rose-tinted gloom created by the drapes partially drawn. At the far end of the room and looking out of place, the tall mirror on the dressing table shone between two sets of half-open drawers. The same effect of light bursting into shadows was repeated on the tiny colonial painting. Jesus' white face looked like a cut-out against the deep background tones. Below him, from the unmade bed, tangled sheets and quilts spilled over in a soft, thick cascade. There were clothes on the yellow damask hassock sprinkled with gold threads. The closet doors stood ajar and two of the dolls in her collection on the mahogany shelf had fallen over, one on top of the other, probably knocked down by an unnoticed swirl of her long bathrobe's lace hem. There was much to be done there. Without thinking, as though moved by a timeless impulse, she began to tidy up the room. She would first have to draw the drapes and open the window in order to permit the light to penetrate

siempre y nunca dicha «por qué no te casaste, por qué», al tiempo que se acercaba por detrás y se colocaba junto a ella mirando sin mirar, la inmaculada taza de porcelana volcada todavía sobre su plato, y le preguntaba cualquier cosa, al respecto del desayuno, por ejemplo, cualquier pregunta hueca y fingida que ocultara mejor sus pensamientos.

—¿No desayunas todavía? —dijo la madre.

Un fulgor helado se encendió en el aire.

—¿No desayunas todavía? —dijo la madre.

—¡Sí, ya desayuné! —casi gritó la hija al tiempo que se levantaba bruscamente y huía de la cocina con un congestionamiento de la sangre que parecía empujarla por detrás del rostro, pero no fue lo suficientemente fuerte como para hacerla llorar porque, de todos modos, ya nada era lo suficientemente fuerte para hacerla llorar.

Era falsa aquella penumbra de tintes rosáceos. La creaban las cortinas a medio descorrer. Al fondo y como ajeno brillaba, entre dos paneles de cajones semiabiertos, el alto espejo de la peinadora. El mismo efecto de la luz irrumpiendo en la sombra se repetía en el pequeño cuadro colonial. El blanco rostro de Jesús resaltaba como un recorte sobre las profundas tonalidades del fondo. Debajo y desde la cama deshecha se derramaba en espesa y blanda cascada, el conjunto de sábanas y colchas revueltas. Había ropa sobre el zapallo de damasco amarillo entrecruzado de hilachas doradas, las puertas del closet estaban entreabiertas y en una de las repisas del mueble de caoba con diseño de anaquel, dos de las muñecas de la colección habíanse caído, la una sobre la otra, posiblemente arrastradas por algún inadvertido revuelo de los encajes de su larga batona. Allí estaba todo por hacerse. Sin ponerse a pensar, como movida por un

completely and the fresh air to replace the stale, erasing, once and for all, the last vestiges of the night. She would abandon herself to the old habit of reordering today all that had been disordered yesterday, because in that way time weighed less and, besides, the past itself seemed to be erased, transformed into a new hope, a new beginning or starting point, as open drawers were shut and wardrobe doors shut as well, with all her clothes inside, and the unmade bed made and the two dolls on the mahogany shelf returned to their rightful places in that long congregation of candid effigies, tall, short, fat, thin, white, brown, pink, perfectly preserved from the years of her childhood. Beyond the doors of her bedroom, now impeccable, the living room, dining room, and hallway floors awaited her care, a Saturday and Sunday morning obligation self-imposed, whether or not a maid was employed, whether or not she was feeling well.

The father found her bent over the floor polisher that buzzed among the furniture still encased in protective linen covers in the corners of the living room.

"But, my dear, you're going to make yourself ill, we could hire someone to do that," he said.

"It doesn't pay," she replied, "they never do a good job. No one does a good job."

The father assumed his habitual pose, serious and solemn, as though preparing himself to continue the scolding. But it wasn't worth it to do so. That wasn't what he wanted to say to her. Then he considered asking her about the new maid who would begin work on Monday. But that wasn't what he wanted to say either. Rather small, bent, graying hair, a very short and graying beard that looked as though it were pasted onto

impulso inmemorial, inició el arreglo de la habitación. Había que empezar por las cortinas, descorrerlas del todo y abrir la ventana para que la luz penetrara íntegra y el aire se cambiara con un aire nuevo y se acabaran de borrar de una vez por todas los últimos vestigios de la noche. Había que abandonarse a la vieja costumbre de reordenar hoy lo desordenado ayer, porque así el tiempo se sentía menos y además el mismo pasado parecía borrarse y resolverse en una nueva espera, en un nuevo reinicio o partida, mientras los cajones abiertos volvían a cerrarse, y el closet se cerraba también con toda su ropa adentro y la cama deshecha se tendía, y las dos muñecas del mueble de caoba regresaban a su posición habitual en la larga congregación de cándidas efigies altas, bajas, flacas, regordetas, blancas, rosadas, morenas, perfectamente conservadas desde los años de su infancia. Más allá de la puerta de su habitación, ahora impecable, le esperaba el cuidado de los pisos de la sala, del comedor, de los pasillos, una obligación de las mañanas de los sábados y los domingos que se había autoimpuesto hubiera o no sirvienta, estuviera sana o enferma.

El padre la encontró inclinada sobre la máquina enceradora que zumbaba entre los muebles arrinconados de la sala y enfundados aún en sus protectores de lienzo.

—Pero hija, te vas a enfermar, podemos pagar para que lo hagan —dijo.

—No vale la pena —repuso ella— nunca lo hacen bien. Nadie lo hace bien.

El padre recompuso en el cuerpo su actitud solemne y grave de siempre, como disponiéndose a continuar con el reproche. Pero no valía la pena hacerlo. No era eso lo que quería decir. Entonces pensó en preguntarle algo sobre la nueva sirvienta que vendría el lunes. Tam-

a face crisscrossed with wrinkles, the father couldn't find the appropriate tone for a change in conversation. He merely coughed two or three times. He was dressed to go out. He only needed to put on his jacket and his homburg.

"It seems you didn't sleep well last night," he said at last. His voice sounded hollow.

"Did mama tell you that?" asked the daughter, as though anticipating what he was going to say.

The father frowned. He didn't know how to respond. Then he nodded as he took off his glasses and searched for a handkerchief to clean them.

The daughter watched him put his glasses back on.

"It was a nightmare," she lied easily as she turned on the floor polisher. Over the buzzing of the machine, she heard her father say, "About the train?"

The daughter switched the floor polisher off and turned toward him. "A nightmare," she insisted. "Something didn't set well. There's nothing strange about that, is there?"

The father pursed his lips, displeased. "My dear wife no longer understands things very well," he would be thinking. "I'll have to talk to her about that," he added to himself, getting ready to go off to find the mother. The daughter turned on the floor polisher and the buzzing removed the old man's footprints and she rediscovered, with each of the machine's movements, forward and back, something like a hidden meaning in that task of polishing the waxed floor, a kind of calling out, precise and reiterated, from someone who would never again return.

Later she saw him walking through the hallway. He looked tense, caught up in something unpleasant that

poco era eso lo que quería decir. Relativamente pequeño y encorvado, el pelo entrecano, la barba entrecana, muy corta y como forrada al rostro cruzado de arrugas, el padre no encontró el tono adecuado para cambiar el tema de la conversación. Se limitó a toser dos o tres veces. Estaba vestido como para salir a la calle. Sólo le faltaba colocarse el saco y el sombrero ariscado.

—Parece que no dormiste bien anoche —dijo por fin. Había un ahuecamiento en su voz.

—¿Te lo contó mamá? —preguntó la hija como saliéndole al paso.

El padre frunció el ceño. No supo qué responder. Luego asintió con la cabeza, mientras se sacaba los lentes y buscaba el pañuelo para limpiarlos.

La hija lo miró acomodarse los lentes nuevamente.

—Fue una pesadilla —mintió con soltura en tanto echaba a andar la enceradora. Por detrás del zumbido de la máquina oyó la voz de su padre:

—¿Lo del tren?

La hija apagó la enceradora y se volvió hacia él.

—Una pesadilla —insistió—. Algo me hizo mal, no es nada extraño ¿no?

El padre contrajo la boca en un rictus de desagrado. «Mi bendita mujer ya no entiende bien las cosas», estaría pensando. «Tengo que decírselo» añadió, para sí, disponiéndose a salir en busca de la madre. La hija encendió la enceradora y el zumbido acabó por llevarse los pasos del anciano mientras ella redescubría con cada vaivén la máquina, algo como un oculto sentido en esa tarea de abrillantar la cera, una suerte de reiterado y minucioso llamado a ese alguien que no volvió más.

Más tarde lo vio venir por el pasillo. Lucía tenso, presa de un desagrado que no llegaba a ser indignación,

wasn't quite indignation or, rather, caught up in indignation gone awry. He would have preferred to spend the entire day (as he did nearly every Saturday) with his friends, away from home (because of the unpleasantnesses that occurred punctually every Saturday) but with his conscience at ease, feeling absolutely in control, justified.

"Are you going out, papa?" asked the daughter, a question that was also an answer.

"I don't know," the father responded. But he did know. Apparently, something was amiss there, within. Maybe his complaints to the mother had been excessive and now he felt guilty. The mother would be off in some corner of the house at that moment, her face contrite and tearful. He, of course, didn't have to complicate matters like this. No one dictated his comings and goings. No one stopped him from doing as he pleased. But it was Saturday. And he was a man of habits and anxieties, and his habits were precise and established, though there were times when he found them intolerable. Retired ten years before, he continued to observe office hours during the work week. "I'm going out to attend to some business," he would say early in the morning. And that "business" amounted to no more than paying monthly light, telephone, or water bills. An occasional formal call. A funeral, perhaps. The rest of the time he spent on benches in city parks and plazas, waiting for midday in order to return home, just as he had returned home from work years before. However, he felt obliged to spend Saturdays and Sundays with his family. Except that sometimes his sense of duty and his secret desires were not in accord. At least not on Saturday. Then he would be overcome by a desperate

o mejor, presa de una indignación fallida. Hubiera preferido (como casi todos los sábados), irse el día entero de la casa a ver a sus amigos (gracias al disgusto puntual de los sábados), pero en paz con su conciencia, dueño absoluto de sus propios motivos.

—¿Vas a salir a la calle, papá? —dijo la hija en una pregunta que era también una respuesta.

—No lo sé —respondió el padre. Pero sí lo sabía. Evidentemente, algo había fallado allá adentro. Acaso sus reclamos a la madre fueron excesivos y ahora se sentía culpable. En algún rincón de la casa la madre estaría, en ese instante, con el rostro compungido y lloroso. El, en verdad, pudo no complicar la situación de ese modo. Nadie controlaba sus idas y venidas. Nadie le impedía hacer lo que le viniera en gana. Pero ese día era sábado. Y él era un hombre de costumbres y recelos, de hábitos establecidos y definidos que, a veces sin embargo, no conseguía tolerar. Jubilado desde hacía más de diez años, durante la semana laborable observaba un horario de oficina. «Salgo a atender unos asuntos», decía muy por la mañana. Y esos «asuntos» no pasaban de ser el pago mensual de la luz, del teléfono o el agua potable. Alguna gestión ocasional. Algún funeral quizá. El resto del tiempo se lo pasaba en los bancos de los parques y plazas de la ciudad, aguardando el medio día, como años atrás, para retornar a casa como quien retorna del trabajo. Los sábados y domingos, en cambio, consideraba de su obligación dedicarlos al hogar. Sólo que entre sus obligaciones y sus impulsos más recónditos no siempre había un acuerdo. Y menos en los días sábados. Entonces le sobrevenía la desesperación de no poder hacer, por causa de él mismo, lo que él mismo quería hacer. Todo eso mientras sus amigos ya empezaban a reunirse

feeling because, through his own fault, he was unable to do that which he wanted to do. All of that while his friends had already begun to gather in some dark corner to which they had been faithful since the days of their youth, and which she and her mother could barely imagine, sunk in a smoky haze produce by handrolled cigarettes and the aromas of cane liquor, fried pork, cows' foot soup, and all the rest. So there were complications. So it was necessary to invent some unpleasantness, something, anything that would serve as an excuse to join the weekly get-together, as always, throughout his entire life, especially now that those who gathered were fewer each time and more decrepit, now that memory had begun to distort events that existed solely in the confusion of a distorted mind, given that no one could point to the place where they occurred because it had been lost or erased by new asphalt and new, winding streets in that changing, unrecognizable city.

"Are you going out, papa?" she asked and the father responded that he didn't know, but she saw him hesitate under the living room arch, then go away and return with his jacket and his hat on and his dark raincoat folded over his arm.

"Take care, my little girl," he said, almost reverently, and she didn't have time to say to him, with irritation as on other occasions, "Your aging little girl," not did she have time to say to him, "Be careful, papa, the floor," because the father was already out the door, quickly, each footstep leaving a small, dark print on the glowing waxed surface and she had no choice but to follow them with her machine alternately purring and roaring, reestablishing the waxy shine, making it smooth

en algún oscuro rincón al que siempre fueron fieles desde los años de su juventud, y al que ella y su madre apenas imaginaban sumido en una bruma de humo de tabaco de envolver y aromas de mallorca, fritada, mondongo y demás. Entonces venían las complicaciones. Entonces era necesario fingir un disgusto, cualquier cosa, cualquier pretexto para acudir a la reunión semanal, como siempre, como toda la vida, sobre todo ahora que cada vez eran menos y más decrépitos los que quedaban, ahora que la memoria empezaba a tergiversar los sucesos que ya no existían más que en la confusión de esa memoria tergiversada, puesto que nadie podría señalar el sitio en que ocurrieron porque éste, o se había perdido, o se había borrado en el nuevo asfalto y en los nuevos vericuetos de esa ciudad cambiante e irreconocible.

—¿Vas a salir a la calle, papá? —dijo ella y el padre respondió que no lo sabía, pero ella lo vio vacilar ante el arco de la sala, y luego irse y luego volver con su saco y su sombrero puestos, y con el impermeable oscuro doblado en el brazo.

—Cuídese mi niña —recomendó casi en una reverencia, y ella no tuvo tiempo de decirle, con el rencor de otras veces, «tu anciana niña», ni tuvo tiempo de decirle «¡cuidado el piso, papá!», porque el padre salía ya, apresuradamente, dejando sobre el reluciente encerado, esos breves oscurecimientos de cada pisada, que ella no tuvo más remedio que seguir con su máquina que ronroneaba y bramaba restableciendo el brillo de la cera, volviéndola otra vez tersa y espléndida como el cristal.

La luz era una mancha plateada sobre el piso y un engolamiento de claroscuros verticales en la tela de las cortinas. Sobre la alfombra central de la sala —un blan-

and splendid again, like crystal.

The light was a silver stain on the floor and a ruff of vertical chiaroscuros on the drapes. A carved cedar table stood on the rug —a soft brown oval— in the center of the living room. It was crowned by a molded glass vase filled with fresh hydrangeas. In the living room's limpid air, isolated beams of light glinted off ashtrays, lamps, wall decorations, and little glass and porcelain figurines standing here and there, arranged one by one on glass shelves. She had changed her clothes now. She wore a silk blouse in muted tones, white slacks with wide cuffs, and over the curlers in her hair, a scarf that matched her blouse. She looked fresh, almost rejuvenated after hot and cold showers. She smelled of talcum powder and soft perfume. And on her partially made-up face, in her eyes still lacking, liner and mascara, on her mouth already covered with dark lipstick, a pleasant anxiety fluttered briefly as she stood, half-hidden by the living room arch, contemplating, detail by detail, the places over which her hands had passed again, polishing, cleaning, arranging with uncompromising zeal. But the anxiety on her face was not just hers. It seemed to emanate from objects as well, from the empty spaces, from the play of light in the room. It felt like a new aura that enveloped things as though, in that instant and for that one time, the objects were a little more than just themselves; as though they had grown a new and pleasant layer that was not made of air nor of light, but that existed and called out from rugs and lamps, from the opaque depths of the scarlet velvet-covered furniture, free now of the slightest trace of lint. There, everything seemed to be waiting. The living room itself seemed to be waiting for something or

do óvalo marrón—, se alzaba ya la mesa tallada en cedro. La coronaba un murano lleno de hortensias nuevas. En el aire límpido de la sala brillaban, aislados, los destellos de los ceniceros, de las lámparas y apliques, de las figuritas de vidrio y porcelana reagrupadas, de una en una, en las repisas de cristal de la vitrina. Ahora, ella, se había cambiado. Vestía una blusa de seda estampada en colores bajos, un blanco pantalón de bastas anchas y, ajustado al pelo enrulado, un pañuelo que hacía juego con la blusa. Lucía fresca, hasta rejuvenecida luego del baño caliente alternado con duchazos de agua fría. Olía a talco y perfume suave. Y en la cara a medio maquillar, en los ojos todavía no enmarcados por el rímel y el delineador, en la boca entreabierta pintada ya con un creyón oscuro, temblaba una ansiedad placentera y breve, mientras contemplaba de pie, medio oculta por el arco que daba a la sala, detalle a detalle, los lugares por los cuales sus manos habían pasado y repasado, puliendo, limpiando, ordenando con implacable fervor. Pero aquella ansiedad de su rostro no era solamente suya. Parecía emanar también de las cosas, de los espacios, de los juegos de la luz de aquel recinto. Ella la sentía como un aura nueva que envolvía a los objetos, como si en ese instante, y por esa vez, los objetos fueran un poco más que ellos mismos; como si les hubiera crecido un nuevo y amable espesor que no era ni de aire ni de luz, pero que existía y llamaba desde las alfombras y las lámparas, desde las profundas opacidades del terciopelo escarlata de los muebles, libres ahora de la más leve brizna. Allí todo parecía esperar. La misma sala parecía esperar por algo o por alguien desde su reciente, clamorosa nitidez.

Mas, aquella ensoñación se vino abajo muy pronto. Duró menos que otras veces. Como una burbuja que se

someone from within that newly acquired tidiness, clamorously beckoning.

But that daydream collapsed almost immediately. It didn't last as long as it once had. Like a bubble escaping from dark watery depths and ascending violently toward the surface, a cruel mental outburst reminded her that the hours of waiting were over, that in that house no one —and certainly not those cold objects— waited for anything any longer, and, as a result of that spectacular mental fall, they returned to being themselves, to being as they truly and customarily were within the intimidating cleanliness of a living room suddenly transformed into a mausoleum: dead. It wasn't an expression of horror or anguish that upset her face. Nor was it a cry of fright that brought her hand to her mouth. It was simply an unexpected shudder zigzagging through her body. Or, rather, a sudden sensation of cold. A second later, she practically ran through the house in search of her mother with an idea fixed in her mind.

"Mama!" she called as soon as she saw her, bent over a pile of clothes, exaggerating, as she always did, her household chores.

The mother turned to look at her, nonplussed. She seemed to have awakend, suddenly, from a long sleep. She looked at her, perplexed, and then looked away, and, with no desire to find out what this was all about, she buried herself again in her task, as though returning to some suffering or painful animosity, and the daughter understood immediately: she was considered the guilty party, and with reason, for the complaints of the father.

She tried then to fit herself into the mother's own special time and to control the urgency that had taken

desprendiera del fondo de un lago de oscuras aguas y ascendiera violentamente hacia la superficie, un despiadado exabrupto interior vino a decirle que allí las horas de la espera ya habían pasado, que en esa casa ya nadie esperaba nada y menos aún los fríos objetos, vueltos por obra de esa aparatosa caída mental, a su verdadero ser, a su verdadera muerte habitual, a esa impávida limpidez de una sala convertida así de pronto en mausoleo. No fue ni una mueca de horror ni de angustia lo que le descompuso el rostro. No fue tampoco un grito de espanto lo que hizo que su mano se apretara contra su boca. En ella solamente hubo un brusco zigzag de estremecimientos que le atravesó el cuerpo. Mejor, una repentina sensación de frío. Un segundo después casi corría por la casa en busca de su madre, y con una idea fija en la mente.

—¡Mamá! —llamó en cuanto la vio inclinada sobre un atado de ropa, exagerando a su manera sus tareas domésticas.

La madre volvió el rostro estupefacto. Parecía haberse despertado, de un golpe, de un largo sueño. La miró extrañada y dejó de mirarla y sin ningún deseo de averiguar nada, volvió a sumirse en sus tareas como retomando un sufrimiento o rencor doliente que ella adivinó enseguida: La culpaba y con razón de los reclamos del padre.

Ella buscó entonces acomodarse a ese tiempo especial de la madre y refrenar el acuciante ímpetu que la arrastrara hasta allí. La había asustado en verdad. Al llamarla, su voz se había elevado como si gritara. No fue ésa su intención. Apenas quería pedirle que olvidara su disgusto con la tía Antonia y la llamara por teléfono para que viniera a visitarlas. Eso era todo. Soportaría a la tía,

her there. She had truly frightened her. On calling her, her voice had risen to a scream. That was not her intention. She merely wanted to ask that the mother forget her quarrel with Aunt Antonia and call her, inviting her to visit. That was all. She would put up with her aunt, and her daughters and their children, because that was preferable to enduring a stupid Saturday afternoon watching the hours pass, one by one. Saturday afternoon had opened in her an enormous emptiness in time, and she had nothing to fill it, and it was essential that it be filled, even it that meant a visit with Aunt Antonia and her fidgety conversation about all that had happened (or was going to happen) to the family, including its remotest members, for whom she served as a kind of fulltime honorary directress and guide, since she didn't mind going to wherever it was necessary in order to address any and all offenses caused by the many upstarts who had slipped into the family due to the thoughtlessness and lack of discrimination of that new, modern, inconsiderate generation whose members let themselves be dragged along, unawares, by the first friend, fiancee, pretender, and so on to cross their paths. An implacable, monumental conversationalist was Aunt Antonia, which did not prevent her daughters, nonetheless, from providing her with new, alarming data, nor did it stop their children, three tireless little demons, from dashing through the entire house and knocking into and upsetting everything. All of that was preferable to feeling yet again, in that empty living room, the icy sensation of silence and death, especially now that the brutal lightning bolt of lucidity had led her to fear, in those moments of solitude, what might lie behind that monstrous train that had begun to appear in

a sus hijas y a sus sobrinos, que eso era mejor que sufrir una boba tarde de sábado mirando pasar y pasar las horas. La tarde del sábado se le había ocurrido un enorme vacío en el tiempo que no había con qué llenar, que era preciso llenar aunque fuese con la visita de la tía Antonia y su trepidante conversación acerca de todo lo que hubiera ocurrido (o fuera a ocurrir) con los miembros más remotos de la familia, de la cual ella era una especie de preceptora y dirigente ad honorem y a tiempo completo, pues no le importaba concurrir adonde fuese necesario para responder a cualquier agravio causado por tanto advenedizo, ahora colado en la familia por obra y gracia de la mala cabeza y pocos prejuicios de esa nueva generación moderna y desaprensiva que se dejaba arrastrar, sin conciencia, por el primer amigo, novio, pretendiente y demás, que pasara cerca. Conversación implacable y prodigiosa la de la tía Antonia, que no impediría sin embargo a sus hijas aportar nuevos datos alarmantes, ni a los hijos de éstas, tres diablillos incansables, corretear por la casa entera volcándolo y revolviéndolo todo; eso era preferible a volver a sentir en la casa vacía, en la sala vacía, la sensación helada del silencio y de la muerte, sobre todo ahora que un relámpago brutal de lucidez la llevaba a temer, en los momentos de soledad, por lo que pudiera haber detrás de ese monstruoso tren que había empezado a aparecer en sus noches de insomnio o de pesadilla.

—Mamá —llamó nuevamente. Su voz sonaba firme, sin inflexiones.

La madre no respondió, o ésa fue su manera de responder. La hija, manteniendo el mismo tono indiferente, dijo:

—¿Vas a llamar a la tía hoy?

her nights of insomnia, or of nightmares.

"Mama," she called again. Her voice sounded firm, dispassionate.

The mother did not respond, or perhaps that was her way of responding. The daughter, maintaining the same indifferent tone, said, "Are you going to call Aunt Antonia today?"

The mother felt obliged to answer.

"No," she said, dryly. She remembered Aunt Antonia's affront the week before.

"But, mama, don't dwell on that, it's not worth it, everyone will only get more resentful," replied the daughter, barely controlling the indignation she was beginning to feel.

"I called her last Saturday and she kept us waiting all day," said the mother, now perfectly convinced that she was justified. "You can call her if you like," she added, disdainfully.

The daughter didn't respond. It was pointless. Aunt Antonia's quarrel was with her mother. Therefore, she would have to call. But she wasn't going to. It was useless to insist.

The mother had moved her head to the side in a gesture of resignation and abandon. She preferred to risk losing all with Aunt Antonia. After having lost so many things, one more hardly mattered. She preferred to persist in her loneliness, to withdraw definitively, to raise protective barriers. It was clearly useless to insist. Besides, that first urgent need to fill the house with people had passed by now. And a visit from Aunt Antonia would be no more than what it had always been: a substitute, an imitation, a pretense that did not even suffice to fill, for a few hours, an emptiness that,

La madre se vio obligada a contestar:

—No —dijo secamente. Recordaba el desaire de la tía Antonia, en la semana anterior.

—Pero mamá, no insistas en eso, no vale la pena ahondar los resentimientos de ese modo —repuso la hija, dominando apenas una primera indignación que empezaba a formársele dentro.

—La llamé el sábado pasado y nos dejó esperándola todo el día —dijo la madre, ahora ya perfectamente convencida de sus razones—. Llámala tú, si quieres— añadió con desdén.

La hija no necesitó responder. No tenía sentido. El disgusto de la tía Antonia fue con su madre. A ella le correspondía llamarla en ese caso. Pero no lo iba a hacer. Era inútil insistir entonces.

La madre había ladeado la cabeza en un mohín de resignación y abandono. Prefería echarlo todo a perder con la tía Antonia. Luego de que tantas cosas se habían echado a perder, una más ya no importaba. Prefería persistir en su soledad, asumir, definitivamente, el cerco como una valla protectora. Era por cierto, inútil insistir. Además, ese primer ímpetu suyo de que la casa se llenara de gente, ya había pasado. Y la visita de la tía Antonia no era más que lo que siempre debió ser: una forma sustituta, un remedo, un fingimiento que ni siquiera bastaba para colmar, por unas horas, un vacío de todas maneras irremediable.

—Está bien, déjalo así —murmuró la hija.

La madre, que esperaba otra respuesta, se volvió, atónita. Aguardaba una reacción de ira, y se encontraba, en cambio, con esa mansedumbre imprevista, al tiempo que, en el rostro de la hija, había ahora una como serenidad absorta y extraña, que contrastaba con

in the end, was irremediable.

"That's all right, forget it," murmured the daughter.

The mother, expecting another response altogether, turned around, amazed. She had been prepared for an angry reaction and, instead, found herself with that unexpected meekness and, at the same time, saw on the daughter's face a kind of strange, absorbed serenity that contrasted with the near-anguish of a moment before. Something was happening within her that the mother just barely managed to discern. "She's had another vision," she said to herself. And she remembered the first call that had startled her when the daughter burst into the room. And that call began to resonate in her mind like a plea for help from someone drowning. And her daughter's pale face seemed to be that of a drowning person. Thus, the blind impulse to save her was stronger than her resentment or her rancor, and though she did not understand very well what relationship there might exist between that sudden need for a visit from Aunt Antonia and the dark suffering eating away at her, giving into a tactic she suspected would be worthless, she said almost without thinking, "I'll call her."

The daughter watched her turn slowly and move toward the door. That decision weighed heavily on her. She didn't want to make the call. Seeing her like that, hands folded over her stomach, footsteps slow and hesitant, she asked herself if, at the age of sixty-eight, or rather, after sixty-eight years of living, people still had a right vanity, or even to dignity.

"It would be better not to," said the daughter.

The mother stopped for a moment, as though relieved. But then she continued walking to the phone.

la expresión casi angustiosa de un instante atrás. Algo ocurría dentro de ella que la madre apenas lograba entrever. «Habrá tenido otra visión», se dijo. Y recordó aquel primer llamado que la sobresaltara en el momento en el que la hija irrumpió en la habitación. Y aquel llamado empezó a resonar en su memoria como el pedido de auxilio de alguien que se ahogara. Y la cara lívida de su hija le pareció la de una ahogada. Entonces el ciego impulso de salvarla pudo más que su resentimiento y su rencor, y aunque no entendía muy bien qué relación podía existir entre esa súbita necesidad de la visita de la tía Antonia, y el oscuro sufrimiento que la devastaba, plegando a un engaño que ella intuía inútil, dijo casi sin pensar:

—Voy a llamarla.

La hija la miró girar lentamente y avanzar hacia la puerta. Le pesaba mucho esa decisión. No quería hacer esa llamada. Al descubrirla así, las manos entrecruzadas sobre el vientre, los pasos demorados y vacilantes, se preguntó si a los sesenta y ocho años, más bien, si después de sesenta y ocho años de vida, las personas tenían todavía derecho a la vanidad, a la dignidad acaso.

—Mejor no lo hagas —dijo la hija.

La madre se detuvo un instante como aliviada. Pero después continuó su camino hacia el teléfono.

—Lo he pensado bien, mamá. No la llames. Será una lección para ella. Y al fin terminará por ceder —dijo y la siguió. La retuvo suavemente por un brazo y la madre accedió, se dejó detener, ahora sin remordimientos.

—Vamos mamá que es ya muy tarde, es hora de que almorcemos, papá no vendrá —añadió conduciéndola hacia la escalera.

Bajaron y la madre murmuró a modo de consuelo:

"I've thought it over carefully, mama. Don't call her. Let this be a lesson to her. In the end she'll give in," she said, following her. She restrained her gently by the arm and the mother agreed, allowing herself to be stopped, freed from guilt now.

"Come, mama, it's already late, we should have lunch. Papa won't be coming," she added, guiding her to the staircase.

They went downstairs and the mother murmured, by way of consolation, "She'll call in the end. And if she doesn't come, her daughters will. You'll see." The daughter didn't hear her.

Now they were seated in the living room, facing one another. The mother dozed with a rosary in her lap. Her breathing was calm, even. Hot sunlight shone obliquely through the window, casting its rays on the velvet furniture, changing it from the scarlet to crimson. In the hallway the light that came from the back of the house acquired a blue-gray tint as it mixed with the shadows of the high ceiling. In all of that silence, one periodically heard, like an echo, footsteps or voices, neighborhood children joking with one another, long-haired and casually dressed according to the latest styles. At one point the mother woke up and asked if anyone had come. At another she found the courage to say, "If they do come, it would be better not to mention last night."

"What for?" responded the daughter, "It was a nightmare."

A little later, the mother suggested that they go see what was on TV.

"I'll stay here," said the daughter. The mother left.

After a little while, the old woman came back and said, "Would you like a cup of coffee?"

—Acabará por llamar. Y si no viene ella vendrán las sobrinas. Vas a ver —la hija no la escuchó.

Ahora estaban sentadas en la sala frente a frente. La madre dormitaba con un rosario en el regazo. Era la suya, una respiración tranquila, acompasada. Un sol oblicuo y quemante se metía por la ventana e iba a dar contra el terciopelo de los muebles, volviendo carmesí lo que antes sólo fue escarlata. En el pasillo, la luz que venía del fondo de la casa adquiría un tinte azul-gris, al mezclarse con las sombras del alto tumbado. En todo ese silencio a veces se oían, como un eco, el paso o las voces de los chiquillos del barrio, melenudos y deportivos como ordenaba la nueva moda, que se embromaban unos a otros. En un momento la madre se despertó y preguntó por si había llegado alguien. En otro momento se animó a decir:

—Si vienen, mejor no les cuentas lo de anoche.

—Para qué —respondió la hija— fue una pesadilla.

Poco después la madre le propuso ir a ver lo que había en la televisión.

—Me quedo —dijo la hija— la madre salió.

Al cabo de un rato, la anciana retornó y dijo:

—¿Quieres café?

—No —repuso la hija.

La tarde había cambiado del amarillo intenso al anaranjado, luego al celeste y después al violeta. Fue entonces, la hora de encender las luces.

El padre volvió ya entrada la noche. La madre le había aguardado en un constante sobresalto renovado con cada auto que pasaba, con cada rumor que venía de la calle. La hija, desde su habitación, lo oyó llegar como llegaba casi todos los sábados: algo tomado y canturreando el principio del mismo viejo yaraví. Su grave au-

"No," the daughter said.

The afternoon had changed from an intense yellow to orange, then to blue and later to violet. It was time, then, to turn the lights on.

The father returned when it was already very late. The mother had waited for him in a constant state which got worse with each passing car, with each sound coming from the street. The daughter, in her room, heard him come in as he came in almost every Saturday: a little tipsy, humming the first bars of the same old *yaraví.* His severe, customary authority, that habitual solemn, preoccupied air was affected by drink —and affected, according to the mother, by his friends' advice— changing to a deaf belligerance, a little lazy and malicious, that never went beyond reproaches, naturally, always aimed at the mother but never fully stated, and that the daughter was never interested in deciphering. Now, as always when the father arrived in that state, she heard them argue, say things, accuse one another, perhaps. All in half-words and at a volume that was never as low as they would have wished. At times, however, the father shouted. At times the mother was unable to repress, between one sob and another, her protests. The daughter listened to them in her dark room, without knowing if it was anger or pity she felt. She wanted to go to them, to tell them to be quiet, not to waste like that the time left to them, and to tell the father to stop demanding things of life now, as she had done, and to tell the mother to stop crying, as she had done, but the certainty of not being able to penetrate their world, of being unable to break that intricate game of obsessions, kept her in her room, immobile and with her fists clenched, listening in silence to that battle that

toridad cotidiana, esa compostura solemne y preocupada de siempre, se cambiaba por efecto de los tragos —y según la madre, por efecto de los consejos de sus amigos—, en una sorda beligerancia, un poco remolona y alevosa que, desde luego, nunca fue más allá del reproche dirigido a la madre y no dicho del todo, y que a la hija tampoco interesó descifrar. Como toda la vida, cuando el padre venía en ese estado, ahora los oía discutir, decirse cosas, acusarse tal vez. Todo en medias palabras y en un volumen de voz que no conseguía ser lo bajo que ellos querían. A veces, sin embargo, el padre gritaba. A veces la madre no lograba reprimir, entre sollozo y sollozo, sus protestas. La hija los escuchaba en la oscuridad de su cuarto sin saber si era ira o lástima lo que había en su corazón. Tenía ganas de salir, de ir adonde ellos, y decirles que se callaran, que no perdieran así, de ese modo, el tiempo que les quedaba; y decirle al padre que dejara de reclamarle ya nada a la vida, como ella lo hacía, y decirle a la madre que dejara de llorar, como ella lo hacía, pero la certidumbre de no poder penetrar al mundo de ellos, de no poder quebrantar ese intrincado juego de manías, la retenía en su habitación, inmóvil y con los puños crispados escuchando en silencio los ecos de esa batalla tan decrépita como sus protagonistas.

Por fin los padres se callaron. Y la noche empezó a sonar con un zumbido uniforme. Y el ruido de los autos y de los caminantes volvióse cada vez más espaciado. Y fue la hora del insomnio. De la perfecta lucidez del insomnio. La hora de los abismos y de la angustia. Y entonces se vio como si fuera otra persona. Y sufrió y compadeció a esa otra persona que era ella misma. Vio su situación nítidamente: el túnel taponado, el callejón sin salida, esa vida consagrada a enterrar a ese par de viejos,

was as decrepit as its protagonists.

At last the parents were quiet. And the night began to sound with a uniform buzz. And the noise of cars and of pedestrians gradually diminished. And it was the time of insomnia. Of the perfect lucidity of insomnia. The time of abysses and of anguish. And then she saw herself as though she were someone else. And she suffered with and felt pity for that other person who was herself. She saw her situation clearly: the blocked tunnel, the dead end road, a life consecrated to burying that old couple, beings, like her, from another time, who were united now only by the memory of love. After them, blackness would follow, the certain night, there wouldn't be time for anything more. Then she had an overwhelming urge to pray that pagan prayer that was hers alone, and not to a merciless Christ from on high. She closed her eyes in the dark and devoutly accepted that inner summons, that blessed absorption, that profound internalization that she poured over herself, that she poured over herself from within, allowing it to discover its own silence, its own darkness, the true and not the false silence and darkness outside. And thus she was able to think about that distant country about which she knew nothing except that it was distant, and warm, perhaps, and about which she could only sometimes think.

She was pulled from that ecstasy by the train's first whistle. It was so far off that at first she thought she had merely imagined it. But the whistle sounded again. She got up quickly and began to dress. And she had no time for fear because something broke loose in her soul and it was like a scale suddenly off balance and pointing in an unforeseen direction, nor did she have time to go to the wardrobe to take anything along from there because

seres de otro tiempo, como ella, a los cuales ya sólo la unía el recuerdo del amor. Después de ellos vendría lo negro, la noche cierta, no habría tiempo para más. Entonces tuvo la imperiosa necesidad de rezar aquella oración pagana que era solamente suya, y no al Cristo de los cielos sin misericordia. Cerró los ojos en la oscuridad y se acogió con unción a ese clamor interior, a ese recogimiento, a esa interiorización profunda que la volcó sobre sí misma, que la volcó hacia adentro dejándola encontrar su propio silencio, su propia oscuridad, los verdaderos y no los falsos de afuera. Así pudo pensar en ese país lejano del que no sabía nada, excepto que era lejano y acaso cálido, y en el que sólo a veces conseguía pensar.

De tal arrobamiento la sacó el primer pitazo del tren. Fue tan lejano que en principio creyó que era solamente una idea. Pero el pitazo volvió a sonar. Se levantó de un salto y empezó a vestirse. Y no tuvo tiempo para el miedo, porque dentro de su alma hubo un vuelco que fue como el súbito vuelco de una balanza que se inclinara hacia el lado imprevisto, y tampoco tuvo tiempo de acudir al closet, ni de llevarse nada de allí, pues el tren se acercaba ya, vertiginosamente, entre resoplidos de vapor y el estruendo de la contundente maquinaria que golpeaba y tableteaba como los mismos alocados ritmos de su corazón, que eran también los de su respiración acezante, todo eso mientras corría por la casa para alcanzar a ese tren que venía por ella, que venía por ella era indudable, pues ya lo oía acercarse y reducir sus veloces émbolos, y aplicar los frenos y desacelerar la marcha, en tanto que ella dejaba de correr y caminaba, ya casi normalmente, y se daba modos para arreglarse la blusa y pasarse la mano por el pelo, justo en el momento en que llegaba ya a la puerta de calle y la abría.

the train was approaching now at a dizzying rate amidst puffs of vapor and the deafening roar of powerful machinery that pounded and rattled like the reckless rhythms of her own heart and her gasping breath, all that as she ran through the house in order to catch the train that came for her, there was no doubt that it came for her, because now she heard it approaching and heard the movement of the pistons slow and the brakes sound so she stopped running and began to walk now almost at a normal pace, and she took time to arrange her blouse and to smooth her hair just as she reached the door and opened it.

The Man with the Oblique Gaze

Javier Vásconez

To Lucía

"Il me semble que serais toujours bien là ou je ne suis pas, et cette question de déménagement en est une que je discute sans cesse avec mon âme.»
Baudelaire

Once upon a time he was a photographer, and through the view finder of his camera, his counterpart, he went about a certain Andean city capturing its thoroughly conventional spirit from every conceivable angle. It was a city of long, rainy winters, where time seemed to stand still or, on rainless afternoons, to walk like a centipede under a static golden light.

He was once a photographer bent on achieving a kind of eternity, obstinate, like someone who has learned to imagine cities on every scrap of photographic paper so that he could save them from forgetting. But when he walked through those streets, everything seemed to get absurdly muddled, the way it does in dreams, the rain on the asphalt, the cinema lights, the chorus of howling dogs, the sordid street corners, so he would end up in a place where life takes on the dimensions and the depth of a bar, and then he would begin to see a world filled with harmony. This happened a long time ago, when I could still afford to believe in illusions, in the chimera of the simultaneous cities I imagined, because we end up detesting the city we were born in, maybe because we will never escape from it. In

El hombre de la mirada oblicua

Javier Vásconez

A Lucía

"Il me semble que serais toujours bien là ou
je ne suis pas, et cette question de déménagement
en est une que je discute sans cesse avec mon âme.»
Baudelaire

Érase una vez un fotógrafo y su complemento, una cámara de visor óptico con la cual venía captando, desde los más diversos ángulos, el espíritu bastante convencional de una ciudad andina. Era pues, una ciudad de largos y lluvioso inviernos, donde el tiempo parecía haber dejado de correr o caminaba igual que un ciempiés bajo la estática luz dorada de los atardeceres sin lluvia.

Érase un fotográfo resuelto a alcanzar una suerte de eternidad con la obstinación de quien ha aprendido a imaginar las ciudades en cada rincón impreso sobre el papel con tal de redimirlas del olvido. Pero cuando caminaba por sus calles, todo parecía confabularse absurdamente como en los sueños, la lluvia sobre el asfalto, las luces de los cines, el aullido unánime de los perros, las esquinas sórdidas, así que acababa entrando donde la vida tiene la dimensión y la profundidad de una cantina y entonces empezaba a ver el mundo lleno de armonía. Esto ocurría hace mucho tiempo, cuando aún podía darme el lujo de creer en los espejismos, en la quimera de imaginar ciudades simultáneas, porque uno termina por detestar la ciudad en que ha nacido, quizá porque nunca vamos a escapar de ella. En sueños me decía no

dreams I said to myself, I'm not here, I'm in another city, the fog comes in from the sea and I can even hear the sirens of the boats being unloaded at the docks. I have the impression that I am in a world without sounds, incorporeal, where the movements of ships are registered under an ashen light. I would have to take a picture of that, though even I didn't know why, breathe life into those smoking factories and the obscenities scrawled on storefronts, and save those buildings covered with soot, and the rats that crawled out from the sewers, I must do it, I said to myself, before it's too late and the hecatomb is upon us, or darkness and delirium... I was cold as I walked past those high, blackened windows, and I took the wrong turn on leaving the station, and my walk took me not to the sea but to the run-down facade of a building on the banks of the Machángara... It was then that the girl appeared in the dream, with her pale, hollow cheeks, and though today my ties with the city are imaginary, the memory of the dead girl pursues me, relentlessly, day and night, like a killer. Perhaps because I took those pictures of her.

I've learned over the years that the face of every man is a negative in search of its own mirror, of a photographer who will save him from oblivion. Perhaps it was an excess of love that led me to become a photographer, a need to give, and to receive something in return. And so here I am with this pressing need, invoking, in the name of those acids, that which is beyond the mirror in order to be close to men, though that be a form of abasement.

This, then, in broad strokes, is the story.

I think it all happened at the beginning of October,

estoy aquí, estoy en otra ciudad, la niebla viene del mar y hasta puedo oír las sirenas de los barcos descargando en el puerto... Tengo la impresión de estar en un mundo sin sonidos, incorpóreo, donde el tráfico de los barcos se inscribe bajo una luz cenicienta. Había que fotografiar aquello, sin que nadie supiera la razón, dotar de vida a esas fábricas humeantes y a los dibujos obscenos hechos sobre los muros de los almacenes, y rescatar aquellos edificios cubiertos de hollín, y las ratas que iban saliendo por debajo de las alcantarillas, hay que hacerlo me decía, antes de que sea demasiado tarde y sobrevenga la hecatombe o la oscuridad en medio de la fiebre... Tenía frío al pasar ante esas altas vidrieras ennegrecidas, y me equivoqué de camino al salir de la estación, pero el paseo no me llevó al mar, sino ante la ruinosa fachada de un edificio situado a orillas del Machángara... Fue entonces que apareció en el sueño la muchacha, con sus mejillas pálidas y hundidas, y aunque hoy día mi vínculo con la ciudad es imaginario, su recuerdo implacable, el de la muchacha muerta, me persigue día y noche, igual que un asesino. Tal vez por haberla fotografiado.

Con los años he aprendido que el rostro de cada hombre es un negativo en busca de su propio espejo, de un fotógrafo que lo salve del olvido. Quizá me volví fotógrafo por exceso de amor, quizá para dar y recibir algo a cambio. Y por eso he terminado invocando, en nombre de esos ácidos, la acuciente necesidad de captar lo que hay del otro lado del espejo, aunque tal vez ésta sea una forma de abyección, para estar cerca de los hombres.

Y ésta es, a grandes rasgos, la historia.

Creo que todo sucedió a comienzos de octubre, un octubre marcado por tardes espejeantes que sin duda se

an October marked by mirror-like afternoons that seemed reluctant to give way to a winter not fixed on the calendar but soon to make its presence felt with an inaugural downpour. The window was closed and it was very hot inside the study. Then the telephone rang, but I made no effort to reach for it. It was one of my bad days. I'd been kicking myself for all I'd left undone, a trip to Istanbul postponed for no reason. I hated myself for all I had lost, for having crouched like a coward behind the lens of a camera, vainly hoping to record life. A photographer lives surrounded by invented faces, shapes and gestures, where nothing is as it seems, and by shadows, of course, that may or may not have once existed beyond his mind... of anonymous streets and men. In the middle of the night I often wonder whatever became of them.

I put out the cigarette to go to the bathroom, but when I tried to open the door I realized that the latch was stuck. From the hall I saw how the curtain glowed against the light, creating, for a fraction of a second, the effect of a fish under water. I slowly shook my head under the tap and just as I was about to take off my socks the telephone rang again. I went to answer, determined to cut the conversation short. But I immediately recognized the drunken voice, impossible to hang up on, of someone who is making a tremendous effort to be friendly, who wants to proceed with care to avoid being cut off.

"What the devil's going on?" I said, drying my face with the back of my hand.

"Take it easy, brother. Don't get riled," Aguilar, the police photographer, responded mildly, probably in an attempt to conceal his drunken state, "I've got a cold.

resistían a dar paso al invierno, impreciso en el calendario y que pronto se haría sentir con su chubasco inaugural. La ventana estaba cerrada y hacía mucho calor dentro del estudio. En eso sonó el teléfono, pero no hice ningún esfuerzo por alcanzarlo. Era uno de mis días malos. Había estado reprochándome todo lo que no había hecho, un viaje inútilmente postergado a Estambul. Sentía odio por todo lo que había perdido, por haberme agazapado cobardemente tras el lente de una cámara con el vano propósito de registrar la vida. Un fotógrafo vive rodeado de caras inventadas, formas y gestos donde nada es lo que parece ser, y desde luego, de sombras que nadie sabe si alguna vez existieron fuera de su cabeza... de calles y hombres anónimos. A menudo me pregunto en medio de la noche, ¿dónde fueron a parar?

Apagué el cigarrillo para ir al baño, pero cuando iba a abrir la puerta me di cuenta que el picaporte se había atascado. Desde el pasillo, vi por una fracción de segundo cómo brillaba la cortina contra la luz, produciendo el efecto de un pez bajo el agua. Suavemente agité la cabeza en el grifo y cuando ya me disponía a quitarme los calcetines sonó otra vez el teléfono. Fui decidido a cortar por lo sano. Pero inmediatamente reconocí la voz aguardentosa, insoslayable, de quien está haciendo un gran esfuerzo por ser amable y desea proceder con cautela para que no le cierren.

—¿Qué diablos pasa? —dije secándome la cara con el dorso de la mano.

—Tranquilo, hermano. No te impacientes —respondió con docilidad Aguilar, el fotógrafo de policiales, se diría que para disimular un poco la borrachera—. Estoy con gripe. ¡Cierto! Y por eso no quiero arriesgar la vida, a no ser que me reemplaces... ¿Podrías?

I swear! And I don't want to take any risks, unless you won't take over for me... Would you?"

"Where was the party?" I asked, sitting on the sofa, smiling maliciously. "Even from here I can smell the whiskey you were drinking..."

"You're good at guessing," he said, his voice hollow. "But I suggest you leave your disgusting nose out of this for the moment."

"Really? I've got it! Johnny Walker Red."

"Don't be a prick," he said. "That was last week. Now I'm taking care of the fever with a little white horse. And just when I was getting into bed they call from the newspaper to tell me I should get over to the station, fast."

"What's it about?"

"It seems they found a girl near a dump... All you have to do is take a few pictures, take care of the archive routine. Can you go?"

"I can," I answered, hanging up without waiting for a response.

On afternoons like that, when the sun begins its slow retreat behind the cordillera and the clock on the cathedral strikes six, no one and nothing can ease the dread, so great is the horror of emptiness, because seen that way, from the shadows, life seems meaningless, like one more day in a long calendar of days without time. By contrast, I had been absurdly intent upon calling to mind the Hippy's slender body, promising myself to get to the bottom of what was behind that skin, too smooth, when she began to roam slowly in the dark through the study and then disappeared in the steam of the shower.

—¿Dónde fue la borrachera? —le pregunté sonriendo con malicia desde el sofá—. Hasta aquí se huele la marca del whisky que estuviste tomando...

—Bueno estás para adivinar —dijo con voz cavernosa—. Pero por ahora mejor que dejes a un lado tu asqueroso olfato.

—¿De veras? ¡Ya lo tengo! Es un Johnny etiqueta roja...

—No seas pendejo —dijo—. Eso fue la semana pasada. Ahora me estoy quitando la fiebre con un caballito blanco. Y justo cuando me iba a acostar me llaman del periódico para que vaya urgentemente a la comisaría.

—¿De qué se trata?

—Al parecer encontraron a una niña cerca de un basurero... Basta con que hagas unas cuantas fotos para cumplir con la rutina del archivo ¿Puedes ir?

—Puedo —le respondí colgando sin aguardar su comentario.

En tardes así no hay nadie ni nada que mitigue la angustia, es tan grande el horror del vacío cuando el sol empieza su lenta retirada tras la cordillera, y el reloj de la Catedral da la seis, porque vista así, desde las sombras, parecería que la vida no tiene sentido, que es un día más en el largo calendario de los días sin tiempo. Por contraste me había empeñado absurdamente en evocar el cuerpo delgado de la Hippy, prometiéndome desentrañar lo que había detrás de esa piel, demasiado suave, cuando ella iniciaba un lento recorrido por el estudio a oscuras, hasta ir a perderse en el vapor de la ducha. La recuerdo apoyada con desfachatez en el vano de la puerta, sabiendo que yo estaba ahí para darle y recibir lo que

I remember her leaning brazenly in the doorway, knowing that I was there to provide whatever she wanted, and to receive. It may be that no one will understand what it means to have fallen so low, though I thought I was happy when I watched her act so shamelessly, and placed a folded bill in her armpit so that she would keep performing the same act over and over in front of the mirror, and so that her life, a whore's life, would preserve in some way that lewd desire reflected in my eyes.

So she visited more often, coming in without shoes when I was in the laboratory so that there was no sound from the floorboards. She brought the rain's sweet smell on her coat, she brought the degradation of other men in the expression in her eyes, she always came happy and hungry, but her joy seemed to expand and renew the rarified air in the house. Now I realize that it was not an act of solidarity on my part, but that there was something deliberate, something dirty in what I did when I followed her to the hotel where she took her customers. Wasn't there something monstrous in my desire for the Hippy, a desire that seemed more distant and inaccessible the moment it was within reach? I still remember her against the grey light from the window, brushing her hair, that's when I understood her misfortune, the pensive sadness that emanated from her body, but, at the same time another thought, tucked away in my mind, had taken on meaning. Surely she was looking for protection in order to take advantage in the night of my madness or my stupidity. That's when I wanted to behave in a different fashion, maybe like the dead girl's murderer. The reddish hair, unkept and dull, suddenly took on a very special significance. If I had

quería. Es posible que nadie comprenda lo que significa haber caído tan bajo, aunque me consideraba dichoso, cuando la veía actuar sin ningún pudor, y después de haber puesto debajo de sus sobacos un billete doblado por la mitad, para que siguiera obstinadamente representando la misma escena ante el espejo, y para que así su vida, sin dejar de ser la de una puta, conservara algo de ese sucio deseo que había en mis ojos.

Entonces, sus visitas se hicieron más frecuentes, entraba sin zapatos, para evitar que sonaran las tablas del piso cuando yo estaba en el laboratorio. Traía un dulce olor a lluvia en el abrigo, traía la abyección de otros hombres en la expresión de sus ojos, venía siempre hambrienta y feliz, pero su alegría parecía extenderse y renovar el aire enrarecido de la casa. Ahora me doy cuenta que no fue un acto solidario de mi parte, sino que hubo algo de deliberado, de sucio en lo que hice cuando la seguí al hotel donde llevaba a sus clientes. ¿No había algo de monstruoso en mi deseo por la Hippy, que cuanto más próximo lo sentía más lejano e inaccesible se volvía para mí? Todavía la recuerdo cepillándose el pelo contra la claridad gris de la ventana, así fue como comprendí su desgracia, la ensimismada tristeza que emanaba de su cuerpo, pero al mismo tiempo otro pensamiento, más recóndito en mi mente, había cobrado toda su significación. Seguramente buscaba mi protección para beneficiarse, en la noche, con mi locura o mi estupidez. En ese momento hubiera querido actuar de otra manera, quizá como el asesino de la muchacha muerta. La cabellera rojiza, descuidada y sin brillo, súbitamente cobró un sentido muy especial. Si la había estado deseando durante todo ese tiempo era porque tal vez no había otra forma de sobrellevar la soledad.

been wanting her all that time, maybe it was because there was no other way to endure the loneliness.

"I'm not like the others, the ones who hate men," she told me. "It's true that only a few come back...," she added sadly. "Maybe I'm not pretty. But I like to satisfy them, and I know how to act when they treat me right."

She said those words softly. The thread of her voice was interrupted by sips of beer; she didn't want to admit that she was just a hooker —a receptacle made for vile acts— into which anybody might pour his hatred, with the brutality of a butcher, without upsetting anyone.

It occurred to me on the way to the police station that I couldn't remember ever having seen the city like that, filled with so much garbage, lethargic, even, in its beauty of ashes and mist. There were papers all over, fluttering silently along the pavement, like blind, fantastic birds whose edges died, finally, under the wheels of cars. Panting, and with faces barely visible beneath their hats, a few old men gazed ecstatically at the intrusive glow of the street lights. A child ran barefoot after a ball. On the sidewalk opposite a young girl hid, leaning against a friend's shoulder, laughing stupidly as she ate a pastry. After turning several corners in the area, I came to one of those alleyways that only those who know the city well can walk through with no risk of getting lost in an unfamiliar neighborhood. Some men walked past slowly carrying briefcases and on seeing them it seemed to me that time had gone back futilely to another period and another city.

Bad-tempered and taciturn, Captain Ramírez didn't even look up when I greeted him from the door.

—Yo no soy como las otras, que odian a los hombres —me dijo—. Es cierto que pocos regresan... —añadió tristemente—. Quizá no sea bonita. Pero me gusta agradar y sé cómo comportarme cuando me tratan bien.

Pronunció aquellas palabras con suavidad. El hilo de su voz se había quebrado entre sorbos de cerveza, sin querer admitir que solamente era una puta callejera —un recipiente hecho para la infamia— donde cualquiera podía derramar su odio, con la brutalidad de un carnicero, sin por ello despertar la cólera de nadie.

Al salir en dirección a la comisaría no recordaba haber visto nunca la ciudad así, tan llena de basura, incluso tan aletargada en su belleza de cenizas y bruma. Había tal cantidad de papeles aleteando sordamente sobre el asfalto, como pájaros fantasmales y ciegos, cuyos bordes acababan agonizando bajo las ruedas de los carros. Resollando y con los rostros apenas visibles bajo sus sombreros, algunos viejos contemplaban extasiados la luz invasora de los faroles. Un niño corría descalzo detrás de una pelota. En la vereda de enfrente una jovencita se escondía apoyándose en el hombro de una amiga para reír tontamente mientras comía un pastel. Después de haber dado unas vueltas por los alrededores penetré en uno de esos callejones que solamente un buen conocedor de la ciudad sabe cruzar sin correr el riesgo de ir a parar en algún barrio desconocido. A mi lado pasaron algunos hombres llevando portafolios, andaban despacio y al verlos tuve la impresión de que el tiempo había retrocedido a otra época y a otra ciudad.

Malhumorado y taciturno, el capitán Ramírez ni siquiera me miró cuando lo saludé desde la puerta. Era

He was fat, his skin greasy and, at first glance, he seemed to be very careless about his appearance, though he sported showy sideburns that he hoped would add dignity to his facial features. He turned suddenly and, without a word, pointed to a chair on the other side of his desk.

"I suppose you're here about the girl," he said, getting up. "She's downstairs. The sergeant will show you the way so you can take the pictures..."

"Aguilar didn't know much," I said with a hint of a smile. "What really happened?"

"They're degenerates!" he exclaimed, his voice breaking. "They're just a bunch of degenerates. Why do they have to act like animals? Poor thing, ending up like a dog by that dump... Of course, I knew right away that she wasn't one of ours. You'll see what I mean. I'm pretty sure they took her there to throw us off. And there aren't any signs of drugs. Here's the problem. The family won't cooperate. They don't want to know anything. They just want the case closed. You get those pictures to me fast."

"Don't worry, Captain," I assured him, moving toward the door. "You'll have them tonight. By the way, who is the girl?"

"That's none of your business. You do your job and forget the rest. That's up to me. Sergeant, go with him!" Ramírez ordered.

A guard appeared from some dark corner of the office; with his narrow eyes and respectful walk, he looked like a lost animal. A key ring dangled from his trousers as he led me down a narrow staircase to the

gordo, de piel grasosa y a primera vista daba la impresión de ser bastante descuidado, aunque lucía unas vistosas patillas con las que quería dar un aire más digno al conjunto de su cara. De pronto se volvió y sin decir una palabra me indicó una silla enfrente de su escritorio.

—Supongo que viene por lo de la muchacha —dijo poniéndose de pie—. Está en la planta baja. El sargento le llevará para que haga las fotos...

—Aguilar apenas sí sabe algo —dije esbozando una sonrisa—. ¿En realidad qué pasó?

—¡Los hay degenerados! —exclamó con la voz descompuesta—. De veras son unos degenerados. ¿Por qué son tan bestias? Pobre criatura, acabar como un perro cerca de ese basurero... Aunque en seguida me di cuenta de que no era una de las nuestras. Ya me entiende. Casi seguro que la llevaron por ahí sólo para despistar. Tampoco hay indicios de droga. Aquí radica el problema. La familia se niega a colaborar. No quiere saber nada. Sólo quiere que cerremos el caso. Usted hágame rápido las fotos.

—Descuide, capitán —le aseguré avanzando hacia la puerta—. Las tendrá esta misma noche—. A propósito, ¿quién es la muchacha?

—No sea impertinente. Usted haga lo que tiene que hacer. Y olvídese del resto. Eso está a mi cargo. ¡Sargento, acompáñele! —ordenó Ramírez.

De algún oscuro rincón del despacho, como un animal extraviado, apareció un guardián de ojos achinados y andar respetuoso. Con un llavero que le colgaba de los pantalones, me guió hasta el sótano a través de una estrecha escalera. Bruscamente se detuvo ante la puerta.

basement. He stopped short in front of a door. He opened it and after a few seconds turned on the light. A bulb covered with flies partially lit the edge of a table. The sergeant looked at me openly and, without moving from my side, pointed to where the cadaver lay under a sheet.

The first thing that struck me was the way the girl seemd to have remained staring into a void, with a frozen glow behind her eyes, as though she were still alive.

She shouldn't be dead, I say to myself, it's not fair. I count the minutes slowly, hear the sergeant breathing at my side. I ask him to leave me alone. He moves silently to the door. I might as well begin by accepting the fact that I'm aroused by the sight of her lying naked on the cot. I realize immediately that I'm captivated by the expression in those eyes agitated by confusion just before dying. They follow me around the room, I'm certain of that, they brush against me here and there. Those wide open eyes seem to be alive, and they gradually scheme with the limits of my delirium, from the other end of the camera's lens.

A maniac had mutilated her with the brutality of a butcher in order to deprive her of the little she had — careless, and maybe dangerous, youth— demonstrating by means of that crime his disdain for life. Emptied of emotion, her eyes were as ordinary as those of any of the city's high school students, but imagination is always lying in wait, it leads us into the most amazing situations. Why did I have the powerful impression that they followed me as I moved around the room?

The girl's hair was short and covered with mud.

I estimated the time I needed to finish: I couldn't

La abrió y al cabo de unos segundos prendió la luz. Un foco apiñado de moscas iluminaba en parte el borde de una mesa. El sargento me miró con aplomo, sin apartarse de mi lado, señalando en dirección al sitio donde estaba el cadáver cubierto por una sábana.

Lo primero que me llamó la atención fue la manera en que la muchacha parecía haberse quedado mirando al vacío, con un brillo congelado al fondo de sus ojos, como si aún estuviese con vida.

Es injusto, me digo, que esté muerta. Cuento muy despacio los minutos, oigo a mi lado la respiración del sargento. Le pido que me deje solo, se retira sigiloso hacia la puerta. Es mejor que empiece aceptando sin rodeos mi agitación interior al verla desnuda en un camastro. De inmediato me dejo cautivar por la expresión de esos ojos agitados entre dos aguas poco antes de morir. Me siguen por el cuarto, de eso estoy seguro, me rozan aquí y allá. Perfectamente abiertos, aquellos ojos me sugieren una apariencia de vida y se van confabulando con el límite de mi delirio, tras el lente de la cámara.

Un perturbado la había mutilado con la ferocidad de un carnicero, para quitarle lo poco que tenía, una juventud despreocupada y acaso peligrosa, demostrando con su crimen desprecio por la vida. Desprovistos de emoción, aquellos ojos eran tan vulgares como los de cualquier colegiala de la ciudad, pero la imaginación está siempre al acecho, nos devuelve a los acontecimientos más asombrosos. ¿Por qué tuve la poderosa impresión de que me seguían a medida que yo cambiaba de sitio dentro del cuarto?

La muchacha tenía el pelo corto y cubierto de lodo.

Calculé el tiempo que me faltaba para terminar: fui incapaz de aceptar la docilidad con que sus ojos me si-

accept the meekness in those eyes as they followed me from the other side of the view finder, I began to feel very lonely, because nothing could explain this, no kind gesture could deliver me from the scene I was observing. Hours later, I was still searching for an explanation, a cause that would justify a death of that nature. At last it appeared, floating weightlessly in the acids, twisting like a paper cadaver in the basin, with her clean, pale face and the well-defined curve of her breasts displayed under the red light. Her glance seemed to move repeatedly from right to left, much like a doll's eyes. Looking at some photos of her scattered over the floor, I tried to put my finger on the reason for my anxiety, but was unable to understand the slow, and perhaps involuntary, skill with which she came to control my life. The girl continued to look at me no matter where I stood in the room. When I turned away, confused, I caught a glimpse of her eyes in the dim light. How could I give her what she was, perhaps, asking for, without falling into a pit of madness? How could I reconstruct a past on the basis of a few isolated facts, no doubt arbitrary, without making the mistake of replacing them with others of interest only to us? Now I remember clearly the words of Captain Ramírez. That woman can't be one of ours. So what was she doing there? That kind of statement doesn't help to make sense of a life; it's nothing more than material for a police file. And where had she been all this time? She may have been spending time freely with the murderer, since it was for only a moment that my eyes met hers, and then it would have been impossible not to hear the weak plea in her voice when, after a long moan our bodies collapsed, exhausted by desire, and I was unable to rescue her from

guieron tras el visor de la cámara, empecé a sentirme muy solo ante la imposibilidad de una explicación, de un gesto amable que me redimiera del espectáculo que estaba viendo. Al cabo de unas horas yo seguía buscando una explicación, la causa que justificara una muerte de tal naturaleza. Finalmente apareció flotando livianamente entre los ácidos, retorciéndose como un cadáver de papel dentro de las cubetas, con el rostro limpio y pálido, mostrando el contorno bien definido de sus senos bajo la luz rojiza de la lámpara. Con un movimiento reiterativo, su mirada parecía desplazarse de derecha a izquierda, semejante a los ojos de una muñeca. Había procurado localizar la causa de mi tensión, observando algunas fotografías suyas desparramadas sobre el piso sin lograr entender esa lenta y acaso involuntaria capacidad para irse apoderando de mi vida. Desde cualquier ángulo de la habitación, la muchacha seguía mirándome. Cuando aparté aturdido la cabeza entreví sus ojos desde la penumbra. ¿Cómo otorgarle lo que quizá me estaba pidiendo sin caer en el abismo de la locura? ¿Cómo reconstruir un pasado a partir de algunos hechos aislados, seguramente arbitrarios, sin cometer el error de sustituirlos por aquellos que sólo a nosotros nos interesan? Ahora recuerdo con exactitud las palabras del capitán Ramírez. Esta mujer no puede ser de las nuestras, ¿qué fue entonces a hacer por ahí? Con semejante afirmación no se puede descifrar la vida de nadie, al contrario, se convierte en un simple material de archivo para la policía. ¿Y dónde había estado ella todo ese tiempo? Pudo haber estado paseando libremente con el asesino, pues fue sólo por un instante que se encontraron mis ojos con los suyos y entonces debió haber sido inadmisible no escuchar el hilo suplicante de su voz, cuando

the dream because now she knew that my eyes could harm her no more. Neither day nor night, but only the rain pounding on the pavement existed for me now, and that had nothing to do with fear but, rather, with death. I was tired and began to thing that nothing made sense.

II

There is a gigantic eucalyptus near the Hotel Manhattan, its branches transformed by contact with the silvery afternoon light. The hotel is located on a steep street next to a neighborhood barber shop. In the windowless lobby there is a large photo of New York, covered with flies squashed on the pavement of Fifth Avenue. Inside, one breathes an atmosphere of utmost secretiveness, of slow nights that suggest the bitter name of a woman, of crimes never committed. It was there I found out that I could have met her (who?, I ask myself now, who?, since even the lowliest of whores has a name or a tattoo that pulls her from oblivion), and that atmosphere combined, in almost equal proportions, a strong odor of cat mixed with the smell, always furtive, of feminine garments left hanging to dry on the handrail.

On the second floor, at the top of a wide staircase, lived a solitary, nocturnal man, a man in whom I could confide with no qualms whatsoever about what was no longer a simple concern but, rather, an obsession.

I was in the habit of stopping in at the Madrilón around the time I met him. Occasionally I went in the afternoon with a friend and sometimes I went alone

nuestros cuerpos cayeron rendidos por el deseo, tras un largo quejido, sin que hubiera logrado rescatarla del sueño, porque ahora sabía que mis ojos ya no podían hacerle daño. Para mí no existía ya el día o la noche, sólo la lluvia golpeando sobre el asfalto, y eso no tenía que ver con el miedo, sino con la muerte. Estaba cansado y empezaba a creer que nada tenía sentido.

II

En las cercanías del Hotel Manhattan hay un gigantesco eucalipto cuyas ramas se transforman al contacto con la luz plateada de la tarde. El hotel se encuentra en una calle empinada junto a una peluquería de barrio. En el vestíbulo sin ventanas hay una gran fotografía de Nueva York cubierta de moscas aplastadas sobre el asfalto de la Quinta Avenida. La atmósfera que se respira adentro es de extrema clandestinidad, de lentas noches que aluden al nombre amargo de una mujer, de crímenes no cumplidos. Fue allí donde supe que pude haberla encontrado (¿a quién?, me pregunto ahora ¿a quién?, si hasta la más miserable de las putas tiene un nombre o un tatuaje que la arranque del olvido), y esa atmósfera combinaba, en proporciones casi semejantes, un fuerte olor a gato mezclado al aroma siempre furtivo de las prendas femeninas puestas a secar sobre el pasamano.

En el segundo piso, subiendo por una amplia escalera, residía un hombre solitario y nocturno, a quien yo podía confiarle sin ningún tipo de escrúpulos lo que había dejado de ser una simple inquietud para irse convir-

simply because there they made, without a shadow of a doubt, the best coffee in the city. With a sense of distant irony, I amused myself listening to the notables, dressed like British subjects down on their luck, going on maliciously and at length about the death of some individual who had no relatives, or a marriage quickly arranged to save the family honor. A middle aged man stood out among them. Without participating in the conversation, he maintained an attitude that was both attentive and mocking, while the cigarette he held burned down slowly between his fingers, and though it was said that he was involved in crooked dealings he was well received, because when he walked past the owner, the latter nodded his head slightly.

People swore that they had once seen him in a neighborhood to the south, on the verge of slapping a woman, his lips compressed in rage. What is certain is that when he came to the cafe for the first time, he took a seat at a table to the rear to observe his neighbors from a distance. No one ever found out where he came from nor how he had accumulated so much money. One afternoon he disappeared without a trace. A legend grew around him, the result of fear perhaps, or ignorance, according to which he'd killed a man in a whorehouse. Thus, the notables breathed a sigh of relief when he no longer appeared.

When the Wolf opened the door, I saw a man dressed in his underwear. He glanced cautiously toward the end of the corridor, without saying a word. Then he let me in, indicating with a nod the edge of the bed. He sat on a chair and scratched his belly as he observed me with mistrust in the mirror. He must have been around fifty years old, prematurely aged, and very soon another

tiendo en una obsesión.

En la época en que lo conocí, yo frecuentaba el Madrilón, unas veces acudía allí a media tarde acompañado por algún amigo, otras iba solo porque ahí es donde se prepara, sin lugar a dudas, el mejor café de la ciudad. Con distante ironía me deleitaba escuchando a algunos notables que, vestidos como empobrecidos británicos, emitían maliciosas y abundantes opiniones acerca de algún muerto sin parientes o alguna boda celebrada apresuradamente para salvar el honor de la familia. Destacaba, entre todos ellos, un hombre de mediana edad, quien sin tomar partido en la conversación, mantenía una actitud a la vez atenta y burlona, mientras dejaba consumir un lento cigarrillo entre sus dedos. A pesar de que se le atribuía un trabajo sucio, era bien recibido, porque al pasar por delante del dueño, hacía una leve inclinación de cabeza.

Alguna vez me aseguraron haberlo visto en un barrio del Sur cuando se disponía a abofetear a una mujer con los labios apretados por la cólera. Lo cierto es que cuando entró por pirmera vez al café había tomado asiento en una mesa del fondo para vigilar a la distancia a sus vecinos. Nunca se supo de dónde vino ni cómo disponía de tanto dinero. Una tarde desapareció sin haber dejado rastro de su paso por allí. En torno suyo se formó la leyenda, acaso por miedo o ignorancia, de que había matado a un hombre en un prostíbulo. De modo que cuando no volvió más por ahí los notables respiraron aliviados.

Cuando el Lobo me abrió la puerta vi a un hombre en calzoncillos. Miró de un modo discreto y sin decir nada hacia el fondo del corredor. Luego me hizo pasar señalándome con un movimiento de cabeza el borde de

man, younger and maybe more able, would take it upon himself to do him in. Though past his prime, he clearly remained the undisputed master of the whores working the outskirts of the city. I noticed that his face showed unmistakable signs of wear. His expression had changed, his cruel dark eyes were dull. There was also a heaviness about his entire body, in his movements, in the way he knocked the ash off his cigarette with his finger, breathing heavily. A smile played on his lips, a gesture intended to be conciliatory.

"It's been a long time, friend," he said, his hand inside his underwear, scratching his crotch, unconcerned by my presence. "What can I do for you?"

"I'm here because something inconceivable has happened," I said. "I wanted to hear what you have to say about it."

"So, you've finally made up your mind...! Better late than never, eh? Great. Very good...! I'm glad you're here because I'm a little short on cash!"

"As a matter of fact, that's not why I'm here," I told him.

"But that was a good business deal, friend," he assured me, getting up. The tone of his voice had changed, and he seemed thoroughly engrossed as he walked barefoot around the room. "A real lottery. As long as you didn't have second thoughts."

"Are you still pissed with me?"

"When I asked you to take those pictures of me with the women at the Castillo, you did it your way. They were lousy. Right? What happened to your art?" he asked, sitting down again. "Because to get me the way I am I don't need your art or your damned photos, friend. I wanted a pretty portrait of the family, me in my

la cama. Se sentó sobre una silla rascándose la panza, mientras me observaba receloso a través de la luna del espejo. Estaba avejentado, debía tener alrededor de cincuenta años y muy pronto otro hombre más joven y tal vez más hábil que él se encargaría de quitarle de en medio. Aunque ya no era el mismo, sin duda seguía siendo el dueño indiscutible de las putas en las afueras de la ciudad. Observé que ese rostro, indudablemente castigado, ya no conservaba la misma expresión de antes, sus ojos negros y crueles se habían apagado. En cambio había un ingrediente de pesadez en todo su cuerpo, en cada uno de sus movimientos, en la forma de echar la ceniza con el dedo, resoplando. En su boca se dibujó una sonrisa que pretendió ser conciliadora.

—Hace mucho tiempo, amigo —dijo rascándose los genitales por debajo del calzoncillo y sin preocuparle que yo estuviera allí—. ¿En qué puedo servirle?

—He venido por una cosa insólita —dije—. Quisiera conocer su opinión.

—¡O sea que al fin se ha decidido...! Mejor tarde que nunca, ¿no? Bueno, ¡qué bien...! ¡Qué bien que haya venido, pues ando mal de billetes!

—En realidad no es por eso que estoy aquí —le dije.

—Si ese negocio era redondo, amigo —me aseguró poniéndose de pie. El tono de su voz había cambiado, y mostró un gran interés, a medida que se paseaba descalzo por la habitación—. Una auténtica lotería. Siempre que usted no se echara para atrás.

—¿Todavía me guarda rencor?

—Cuando le pedí que me tomara las fotos con las mujeres del Castillo usted hizo las cosas a su manera. El resultado fue lamentable. ¿No es así? ¿Que había hecho

white linen suit and the little ladies around me like doves..."

"I realize that," I replied softly. "I promise to take the picture."

"Very good," he said, looking me straight in the eye, attentively. "I'm counting on you. Now tell me, where was your head at when I talked to you about that business with the women? I swear you couldn't lose. I was going to take off for the coast with that money. You know that kind of thing sells real good to those high school jack-offs."

"I know. There was no risk," I said. "But that's not why I'm here now."

"No more questions," he said.

As he fingered his moustache pensively, I very carefully spread a dozen pictures on the bed. He looked at them for along time, showing no signs of shock at the girl's mutilated body. Maybe it was because he'd seen so many women in that state that one more didn't surprise him. Straightening up, he gazed at the ceiling, saying nothing.

"Since when are you working for the police?" he asked, turning toward me suddenly.

"It's just a temporary job."

"You're wasting your time, my little friend. I don't fool around with the dead; I take care of the ones who still bring in cash. Now get out of here before I throw you out."

His voice sounded reedy and irritated, but I persisted.

"This matter is completely personal," I informed him, shaking my head from side to side. "Take it easy. This time you've got nothing to worry about. As far as

con su arte? —me interrogó tomando asiento de nuevo—. Porque para retratarme tal como soy no necesito de su arte ni de sus malditas fotografías, amigo. Yo quería un bonito retrato de familia con mi terno de lino blanco y las damitas a mi alrededor como palomas...

—Entiendo —repuse con suavidad—. Le prometo hacer esa foto.

—Perfectamente —dijo mirándome con atención a los ojos—. Cuento con usted. Dígame ahora, ¿dónde tenía la cabeza cuando le propuse el negocio de las mujeres? Le aseguro que no había pérdida. Con esa plata me hubiera ido a la Costa. Usted sabe que eso se vende bien a los pajeros de los colegios.

—De acuerdo. No corríamos ningún riesgo —le dije—. Pero esta vez no he venido para eso.

—No le voy a hacer más preguntas —replicó.

Con suma cautela y mientras se acariciaba ensimismado los bigotes, fui poniendo una docena de fotografías sobre la cama. Las contempló largamente, pero no se escandalizó después de haber visto el cuerpo mutilado de la muchacha. Quizá había visto tantas mujeres así, que ésta ya no le llamaba la atención. Enderezando el cuerpo hacia atrás, se puso a mirar el techo sin decir nada.

—¿Desde cuándo colabora con la policía? —dijo de pronto volviéndose.

—Sólo es un trabajo provisional.

—Pierde su tiempo, amiguito. Yo no voy tras las muertas sino que protejo a las que aún rinden. Mejor váyase antes de que le eche.

Su voz me sonó aflautada y rencorosa, pero volví a la carga.

—Éste es un asunto exclusivamente personal —le

the police are concerned, the case is closed. It seems the family is worried about a scandal. I'm more interested in finding out about her than in who did it. Is it clear now? It's like I'm walking around in the dark, looking for a shadow, and I don't think anyone can handle that feeling for long."

"Where did they find her?" he asked suddenly.

"In a dump next to the pools by the river."

"That's strange. I can't see a girl like that mixing with the Indian women washing their clothes around there," he said, laughing quietly. "She looks like a high school kid from the suburbs to the north."

"That's what Captain Ramírez thinks."

"Thanks for the compliment," said the Wolf, bringing his hands up in a mocking gesture. "So that's what Captain Ramírez thinks. How about that, we get old and we finally agree on something! The fact is, we run in the same neighborhoods, but for different reasons. I go to work while he, being a smart man, pulls in a pay check for screwing the women free and collects a fine on top of it."

"Just a minute," I said to him cautiously, fearing I had gone too far. "How do you explain it? I know that this must seem ridiculous to you. But there's something I want you to understand. Captain Ramírez didn't send me, if that's what you're thinking. I'm here because you're probably the only person who really knows this city. Maybe you could tell me where to go, or give me a lead..."

"I told you I don't know anything," he said. "How come you're so sure I want to help? It's bad luck to fool with the dead."

"That may be," I said, for lack of a better response,

advertí, sacudiendo negativamente la cabeza—. Pierda cuidado. Esta vez no tiene nada que temer. La policía lo considera un caso cerrado. Parece que la familia teme un escándalo. No me interesa tanto encontrar al culpable sino saber algo más acerca de ella. ¿Me entiende ahora? Es como andar buscando una sombra en la oscuridad y creo que nadie puede soportar esa sensación por mucho tiempo.

—¿Dónde la encontraron? —preguntó de golpe.

—En un basurero junto a las piscinas del río...

—Es curioso. Pero no consigo imaginarme a una muchacha así mezclada con las indias que van a lavar su ropa por esa zona —dijo riéndose por lo bajo—. Más bien parece una colegiala del Norte.

—El capitán Ramírez piensa lo mismo.

—Gracias, por lo que me toca —dijo el Lobo alzando la mano con ademán burlón—. El capitán Ramírez dice eso. Vaya, ¡qué bueno que a la vejez coincidamos en algo! La verdad es que recorremos los mismos barrios aunque por motivos contrarios. Yo voy a trabajr, mientras el muy listo cobra un sueldo para tirarse gratis a las mujeres y encima hay que pagarle una multa.

—Un momento —le dije en tono cauteloso, y temiendo haber ido demasiado lejos—. ¿Cómo explicarle? Me doy perfecta cuenta de que todo esto le parecerá absurdo. Pero quiero que sepa una cosa. No he venido aquí por el capitán Ramírez, si es lo que está pensando. Sino porque usted debe ser la única persona que conoce bien esta ciudad. Tal vez podría indicarme un lugar o al menos darme una pista...

—Le dije que no sé nada —concluyó—. ¿Cómo es que está tan seguro de que le quiera echar una mano? Los muertos traen mala suerte.

as I averted my eye from his stained underwear. "But if you don't help, I'm lost."

"Try the Catalán's place," he said finally. "A lot of kids hang around there. Turns out I can't keep tabs on all of them," he added with a guffaw. "But don't say I sent you."

Rain is falling on the city, it would be better if it didn't rain, I suppose, but now it's rained for so many days without letup that the air has turned dark. The water rushes along, it pounds the pavement and runs through the sewers and finally buries us in mud that stinks of death in the most abandoned areas. So there is sadness in the faces of people walking along the streets. There's so much water, it's what they call a bad winter for the city.

And now the rain falls softly, as though that light rain, like the fog that walls us in, were part of an everyday event in the city. As though this dense grey air were the ideal climate for the thieves and murderers who live at the foot of the cordillera and in the barrios to the south, because it turns them into beings beyond the reach of the law. When I went into the study filled with pans and glasses, I breathed with satisfaction the peaceful air of an old house that exuded an intimacy that was modest but undeniably comforting. From here the days were longer and the city even more remote behind that seemingly endless, grey, torrential rain. In fact, now I remember exactly how it was: I lived submerged in doubt, and with my back turned to the city.

I carefully put the photos in a folder. I remembered the Wolf's curt, impatient gestures, invisible now in the

—Puede ser —le dije a modo de excusa, apartando la vista de sus calzoncillos manchados—. En todo caso si usted no me ayuda estoy perdido.

—Pruebe donde el Catalán —dijo finalmente—. Hay mucha juventud por ahí. Al fin y al cabo yo no puedo ocuparme de todas —añadió soltando una carcajada—. Pero no le diga que va de mi parte.

Llueve sobre la ciudad, quizá sería mejor que no lloviera, pero ahora llueve hace tantos días, sin descanso, que el aire se ha vuelto oscuro. El agua corre alborotada, golpea sobre el asfalto y se arrastra por los desagües, hasta que termina inundándose con un lodo que hiede a muerte, en las zonas menos protegidas. Por eso hay tristeza en los rostros de quienes caminan por la calle, hay tal cantidad de agua que es lo que se dice un mal invierno para la ciudad.

Y ahora llueve con un rumor cernido, como si esa lluvia menuda, igual que la niebla que nos amuralla, formaran parte de un hecho corriente en la ciudad. Como si este aire gris que se vuelve tan denso fuera el clima ideal para que esos ladrones y asesinos que habitan al pie de la cordillera o en los barrios del Sur se conviertan en seres inaccesibles para la policía. Cuando entré en el estudio, abarrotado de cacerolas y de vasos, respiré con satisfacción un tranquilo aire de casa vieja, que sin duda evidenciaba una modesta, pero reconfortante intimidad. Desde ahí se hacían más largos los días, y aún más remota la ciudad, tras esa lluvia torrencial y gris que no parecía acabarse nunca. En realidad, ahora recuerdo con exactitud: yo vivía sumergido en la incertidumbre y de espaldas a la ciudad.

night. What his words withheld came to me like a flash of lightning in the midst of darkness. On waking, I realized that I had consumed too much whiskey, that I had not slept very well, and then I had a sudden premonition. I didn't know if I was dreaming or if it was because I had drunk too much. Nevertheless, I thought I heard a vague echo that came from very far away and remained floating in the air, as though it were being unreasonably prolonged after its source had disappeared. Drink and loneliness, I thought bitterly. But it can't be, I said to myself, trying to be reasonable. It's just a photograph that exists thanks to me, I've given it life. But the girl's voice came to me, precise, in a dream or a hallucination. If only you had seen me, she said, if only you had seen me dance. I'm only myself when I dance. The girl's voice sounded mysterious. She will come to me when I wake up and ask me for the pictures. Where are you going?, she will say, incessantly. Where?

And so, to turn up a clue to the life of that nameless girl, apart from the pictures I had in my hands, I needed a dog, a star to guide my steps through this city of narrow streets, of markets that stink of blood, where any man might be a killer. I spent hours in the study, looking at the rain fall in the patio. But the girl kept coming back to me, performing in the vision an unusual dance. One afternoon she left taking a bottle that still had a little whiskey in it. A week later she returned and did the same. But this time she left changed into a cockroach at the bottom of a pot. I managed to catch her before she crawled into a container full of water. When I got a firm hold on her legs, she let out a frightening cry and I released her immediately because I didn't have the

Cuidadosamente guardé las fotos en una carpeta. Evocaba los breves e impacientes gestos del lobo, ya invisible en la noche. Lo que sus palabras me negaron fue como un relámpago en medio de la oscuridad. Al despertar, me di cuenta de que me había excedido con el whisky, que no había dormido del todo bien, y entonces tuve un brusco presentimiento. Ignoraba si estuve soñando o si había bebido más de la cuenta. Sin embargo, creí haber escuchado una vaga resonancia que venía de muy lejos y se quedaba flotando en el aire, como si se prolongara irrazonablemente más allá de sí misma. El alcohol y la soledad, pensé amargamente. Pero no puede ser, me dije, tratando de ser razonable. Si tan sólo es una fotografía que existe gracias a mí, soy yo quien le ha dado vida, aunque la muchacha hizo que su voz se manisfestara nítidamente a través del sueño o la alucinación. Si me vieras, dijo, si me vieras bailar. Sólo cuando bailo soy yo misma. La voz de la muchacha sonaba misteriosa. Al despertar ella vendrá hacia mí y me pedirá las fotos. ¿Adónde vas?, me dirá incesantemente. ¿Adónde?

Así que para encontrar una pista sobre la vida de esa muchacha sin nombre, aparte de tener unas fotografías en mis manos, me hacía falta un perro, una estrella que guiara mis pasos por esta ciudad de calles apretadas, de mercados que hieden a sangre donde cualquier hombre puede ser un asesino. Me pasaba las horas en el estudio viendo caer la lluvia sobre el patio. Pero la muchacha seguía importunándome con la visión de una danza inusual. Una tarde se marchó llevándose lo poco que quedaba en una botella. Una semana más tarde volvió a hacer lo mismo. Sólo que esta vez salió convertida en cucaracha desde el fondo de una cacerola. Logré atraparla

courage to bear that look that seemed to be asking me for something from the far side of a mirror.

Fortunately, the Hippy came, bringing a chicken and french fries that we ate in the kitchen, watching the rain in silence. For how long would I go on obsessed by a crime that had nothing to do with my life? In my desperation, I felt an affinity with the murderer, maybe in another life I had been his accomplice. I even began to believe that here, or at some other point in the city, I was that man, the one who had enjoyed the privilege of touching that adolescent body with his own hands. Because that man was no longer a stranger to me but, instead, someone capable of sharing my desires. Maybe he had always been there, with a knife in the middle of the night, looking for someone to kill.

Meanwhile, the Hippy had begun to wash some plates in the sink and pretended not to notice a thing, though she took a quick look at the photos scattered over the floor. Then she turned on the radio, as though in that way she could remain beyond all of this, no doubt she hoped for better days, for herself and maybe for me, because when she left she slammed the door. She seemed thinner, more forlorn than when I'd first seen her standing in an entryway where she'd taken shelter from the rain.

Gradually, I took to wandering like a sleepwalker through the city and felt less vulnerable to the loneliness brought on by so many nights spent in the study and, above all, to the misfortune of having seen her likeness framed in the icy splendor of a window. I looked for her in out-of-the-way streets where shadows were intensified by the darkness. I consoled myself thinking that her face would age soon in the police archives, as

antes de que se metiera dentro de un recipiente lleno de agua. Cuando la tenía bien sujeta por las patas, lanzó un grito espantoso, así que la solté de inmediato porque no tuve valor para soportar aquella mirada que parecía pedirme algo desde el otro lado de un espejo.

Por suerte vino la Hippy trayendo un pollo con papas fritas, comimos en la cocina contemplando la lluvia en silencio ¿Hasta cuándo iba a seguir obsesionado por un crimen ajeno a mi vida? En mi desesperación sentí afinidad con el asesino, acaso en otra época fui cómplice suyo. Incluso llegué a pensar que yo era ese hombre, aquí y en cualquier punto de la ciudad, pues él había tenido el privilegio de tocar con sus manos aquel cuerpo adolescente. Porque ahora aquel hombre no era un extraño para mí, sino alguien capaz de compartir mis deseos. Quizá había estado siempre ahí, con un cuchillo y en medio de la noche, buscando a quién asesinar.

Entre tanto la Hippy se había puesto a lavar algunos platos en el fregadero, fingió no darse cuenta de nada, mientras lanzaba una rápida ojeada a las fotografías dispersas sobre el piso. Luego prendió la radio, como si con eso quisiera mantenerse al margen de todo, sin duda esperaba días mejores para ella y tal vez para mí porque salió dando un portazo. Parecía más delgada, más desamparada que cuando la vi por primera vez parada bajo un portal a causa de la lluvia.

Lentamente empecé a merodear como un sonámbulo por la ciudad, así me sentía menos vulnerable a la soledad de tantas noches pasadas en el estudio, y sobre todo, a la desgracia de haber entrevisto su figura enmarcada en el resplandor helado de la ventana. La buscaba por las calles menos concurridas, ahí donde las sombras se benefician de la oscuridad. Me consolaba pensando

well as in the memory of those who knew her, because these days even death ages prematurely. That's how I came to stop at the Catalan's, whose place was behind a clinic, on the upper floor of one of those typically American houses that were all the rage at the beginning of the sixties. There were large windows at the front, protected by iron bars, overlooking a yard that wasn't cared for.

Inside, prisms made of mirrors were hung here and there, probably to provide atmosphere, and they revolved, producing a diffuse, mobile light. Footsteps sounded in the gloom, and someone coughed. Then the Catalán appeared carrying a dirty towel. He looked me over from head to foot in silence. I didn't know what to say. I asked for a beer and he poured himself a vodka on the rocks. We drank in silence. All the while I was conscious of the eyes of a Doberman watching me from the shadows. The man must have been aware of my anxiety because he began to talk about breeds almost extinct today, and about the problems involved in selecting a show dog, of the advisability of belonging to a dog fancier's club.

"Nice place for kids to come for good time," I said, offering him a cigarette. "There's music and a dance floor. A pool table and even a dog that..."

"It's not bad," he replied, bending over to pat the animal on the head. "When there's something new around, kids usually respond well. Besides, they're the only ones willing to pay these days when they want to enjoy themselves."

After a moment, he poured himself another drink with ice. He placed it on the bar, opened a package of cigarettes, and began to smoke, his face turned toward

que su rostro envejecería pronto en los archivos de la policía, igual que en la memoria de quienes la conocieron, porque hoy día hasta la muerte envejece prematuramente. Así fui a parar donde el Catalán, cuyo local quedaba detrás de una clínica, en la parte alta de una de esas casas típicamente americanas que se pusieron de moda a principio de los sesenta. El frente tenía grandes ventanas resguardadas por lanzas de hierro y daba a un jardín de aspecto bastante descuidado.

Por dentro colgaban, aquí y allá, seguramente para dar ambientación, algunos prismas hechos de espejo que giraban produciendo una luz móvil y difuminada. En la penumbra se oían rumores de pasos, y alguien tosió. Hasta que apareció el Catalán con una toalla sucia en la mano. Me estudió de arriba a abajo. No supe qué decir. Pedí una cerveza y él se sirvió un vodka con hielo. Bebimos en silencio. Mientras tanto, advertí que los ojos de un perro dobermann me observaban desde la sombra. El hombre debió darse cuenta de mi preocupación porque se puso a hablar de razas hoy casi extinguidas y de la dificultad a la hora de seleccionar un perro para un concurso, de la conveniencia de inscribirlo en un club canino.

—Bonito local éste para divertir a la juventud —le dije mientras le ofrecía un cigarrillo—. Hay música y tiene pista de baile. Mesa de billar y hasta un perro que…

—No me va del todo mal —replicó doblándose para acariciar la cabeza del animal—. En cuanto se les ofrece algo nuevo, los jóvenes suelen responder bien. Por lo demás hoy día son los únicos que gastan para divertirse.

Al cabo de un momento se sirvió otra copa con hielo. La colocó sobre el mostrador, abrió un paquete de cigarrillos y se puso a fumar con la cara vuelta hacia la

the door. Then I saw his fat hands. One could say a lot of things about that man. It was clear that through the years his face had taken on the gentle, watchful expression dogs acquire in old age. His eyes widened gradually when I told him about the girl. Tiny beads of persperation sprung up suddenly on his bald pate.

"The lily-livered bastards!" he exclaimed, alarmed, taking his eyes away from the pictures.

"Do you know anything about her?"

"You will forgive me if I sound out of line," he said, moving closer.

"That's your right."

"Are you a cop?"

"As far as I know, no. I took the pictures. I thought that maybe you could help me out with some details. The truth is, I'm lost..."

"What do you want to know?"

"Anything you can tell me about her."

"She came here once in a while," he said, moving away to a prudent distance, as though remembering all of that now struck him as unpleasant. "She really liked to dance. She danced with everybody and with nobody."

"So she danced," I said, somewhat confused.

"Yes," he said, restraining the dog who suddenly began to bark. "Like all girls her age. Now I remember her clearly: She had a strange laugh. Real annoying. Like she was whinnying instead of laughing..."

"Do you know her name?"

"No," he said firmly, putting the glass behind the bar. "Too bad she had to end up like that. I don't know what to tell you. But I always thought there was something funny about her."

"Did she come with anyone?"

puerta. Entonces vi sus manos regordetas. De aquel hombre se podía decir cuaquier cosa. Era evidente que a lo largo de los años su rostro había adquirido esa expresión mansa y vigilante que tienen los perros a la vejez. Cuando le conté lo de la muchacha, el fue abriendo los ojos progresivamente. De su calva brotaron abundantes gotitas de sudor.

—¡Collons! —exclamó alarmado, apartando la vista de las fotos.

—¿La conoce de algo?

—Discúlpame si voy a ser impertinente —dijo acercándose.

—Está en su derecho.

—¿Es usted policía?

—Que yo sepa, no. Soy quien hizo las fotos. Pensé que tal vez usted podría ayudarme con algunos detalles. La verdad es que estoy perdido...

—¿Qué quiere saber?

—Todo lo que pueda decirme acerca de ella.

—De vez en cuando venía por aquí —me dijo recuperando una prudente distancia, como si de golpe le resultara ingrato recordar todo aquello—. Le gustaba mucho bailar. Bailaba con todos y con ninguno.

—Entonces bailaba —dije un tanto confundido.

—Sí —dijo sujetando al perro que de pronto se había puesto a ladrar—. Como todas las chicas de su edad. Ahora recuerdo bien: tenía una risa extraña. Bastante desagradable. Como si en vez de reír relinchara...

—¿Sabe su nombre?

—No —dijo con firmeza, depositando el vaso detrás de la barra—. Es una lástima que haya terminado así. No sé qué pensar. Pero siempre me resultó una chica un poco rara.

"Not that I remember. She used to dance barefoot in the middle of the dance floor, that's where she stayed all night long."

"Barefoot?"

"She danced alone and barefoot," the Catalán said. turning off the light.

I left abruptly. I called out to her in the darkness, but all I heard was the noise of water overflowing the sewers. Trying to escape the cold, I chose a narrow street, a shortcut to the house. I saw a confusing labyrinth of shops, cars parked on the sidewalk, Chinese restaurants, multi-colored lights that blinked on and off simultaneously in the middle of the night. My steps slowed, producing a strange echo on paving stones and in puddles. Cars, ghostlike and at rest now, crouched under the rain as if they were the only witnesses to some kind of natural disaster. I came to a park a little past midnight.

It must have been one-thirty in the morning when I decided to check out some bars downtown. I was walking along, self-absorbed, hands buried in the pockets of my coat, when I came to the barely visible facade of a bar. A man swayed in the door. In spite of the cold he wasn't wearing a jacket. He was dressed in striped pants help up at the waist with a piece of rope, and his shirt was open, his chest exposed.

"Do you have a smoke on you?" he said, smiling with an oblique look, as he made an effort to stay on his feet.

After taking the cigarette, he went through the pockets of his shirt and pants, searching for matches and

—¿Venía acompañada?

—No que yo recuerde. Se ponía a bailar descalza en medio de la pista y se quedaba así durante toda la noche.

—¿Descalza?

—Bailaba sola y descalza —dijo el Catalán apagando la luz.

Salí precipitadamente. La llamé a través de la oscuridad, pero solamente escuché el estrépito del agua que se desbordaba por las cañerías. Acosado por el frío, elegí una callecita angosta para acortar el camino a casa: vi un confuso laberinto de almacenes, de carros aparcados en la vereda, de restaurantes chinos, de luces multicolores que refulgían simultáneamente en medio de la noche. Mis pasos se dilataron produciendo un eco extraño sobre los charcos y los adoquines. Fantasmales y ahora en reposo, los automóviles permanecían agazapados bajo la lluvia, como si fueran los únicos testigos de una catástrofe natural. Poco después de medianoche me interné por un parque.

Sería como la una y media de la madrugada cuando decidí explorar algunas cantinas del Centro. Andaba taciturno, con las manos hundidas en los bolsillos del abrigo, cuando llegué hasta la fachada casi invisible de una cantina donde un hombre se tambaleaba en la puerta. A pesar del frío iba sin chompa, usaba un pantalón a rayas que se había sujetado con un trozo de soga a la cintura y tenía la camisa abierta sobre el pecho.

—Tienes un tabaquito por ahí —dijo sonriendo con una mirada oblicua, a tiempo que se esforzaba por mantenerse en pie.

Después de tomar el cigarrillo, buscó fósforos en

then, not finding any, put the cigarette behind his ear. The man moved toward the jukebox, swaying, his chin resting on his chest. He swerved several times, bumping into an Indian woman who carried a tray laden with glasses and bottles to the tables. The Indian moved away quickly. The men seated at the tables waited patiently for their drinks.

"The hell with it!" shouted the man with the oblique gaze, standing on a chair. "I'm going to show you pricks what's good!"

The others barely moved in their chairs when the man crashed to the floor, his eyes lost in a void. From time to time, someone managed to get up to put a coin in the jukebox. But most kept on drinking contentedly. So they remained, seated around the table, as though staying with the group assured that, though drunk and even defenseless, they were not dead. From the shadows, with her eyes open wide, the Indian watched them.

Meanwhile, the man began to dance next to the jukebox. He moved his body in an uncoordinated but determined fashion among the tables. He had begun to murmur incoherent phrases. From his clothing a greasy odor emanated. A cascade of sound and a voice rose from behind him, the voice of a women complaining about the pain of being abandoned. The jukebox, protected by a kind of wire cage, began to shake impetuously.

Then I looked around and saw new faces soaked with rain, flies crawling along the edges of the glasses, bottles on the bar, crushed cigarette butts in the cracks in the floor, and a dog resting at the woman's feet. It occurred to me that all or any one of those men could

los bolsillos de la camisa y del pantalón, y como tampoco estaban por ahí, se puso el cigarrillo detrás de la oreja. Con la mandíbula hundida en el pecho, el hombre se alejó tambaleándose en dirección a la rocola. Dio algunos pasos en falso, chocó con una india que llevaba a las mesas un charol lleno de vasos y botellas. La india se apartó rápidamente de su lado. En las mesas algunos hombres esperaban pacientemente su turno para beber.

—¡Carajo! —gritó el hombre de la mirada oblicua desde lo alto de una silla—. ¡Les voy a enseñar a estos pendejos lo que es bueno!

Aquellos hombres apenas se movieron de sus asientos cuando el otro se desplomó con los ojos perdidos en el vacío. De vez en cuando alguno lograba ponerse de pie para introducir una moneda en la rocola. Pero la mayoría seguía bebiendo tranquilamente. De modo que se quedaron sentados alrededor de la mesa, como si el hecho de permanecer agrupados entre sí les hubiera garantizado que si bien estaban borrachos, incluso indefensos, no estaban muertos. Desde la penumbra, con los ojos muy abiertos, la india los vigilaba.

Mientras tanto, el hombre se había puesto a bailar a un lado de la rocola. Su cuerpo se movía con obstinación y de forma bastante desarticulada por entre las mesas. Había empezado a murmurar frases incoherentes, su ropa despedía un fuerte olor a manteca. Detrás suyo se había elevado una cascada de sonidos, se escuchaba una voz, la voz de una mujer reclamando el dolor de haber sido abandonada. Protegida por una especie de jaula hecha con alambres, la rocola se sacudía impetuosamente.

Entonces vi a mi lado nuevos rostros empapados de lluvia, moscas recorriendo el borde de los vasos, botellas

be a killer. The light from the bulbs was so dim it barely penetrated to the bottom of the glasses. I had a vision of something murky, of unfriendly eyes, of faces that had turned a greenish shade and suggested, above all, a combination of resentment, subservience, and reserve. In their drunken state those men seemed to be playing out a modern-day farce set in hell, a farce they probably repeated every Friday night. Because their visits to the bar were long and regular. After listening for several hours to the laments of some woman's voice cascading from the jukebox, they would execute the foreordained ritual of individuals intent upon getting drunk at their own funerals.

Now, having placed the photos of the girl on the table, I was smoking, when suddenly someone spoke to me in a tired voice. It was the waitress asking if I wanted anything else. The man with the oblique gaze stood at my table, panting like a wounded animal, and this time I knew he wanted more than a cigarette. Something clicked when I noticed his interest in the photos. His look seemed to be paralyzed for a few seconds. Then he began to move away without saying a word, one arm raised.

In a flash, I knew what that man was capable of, maybe because of the brutal way he had raised his arm in the dark. Suddenly I was convinced that he had murdered the girl and that, from then on, he would wander freely with a knife through my mind. Why hadn't I realized it before? But why him? I said to myself, swearing for having found him. After all, I had been permitted no more than to use the clumsy mechanism of a camera to recover her, after death, for the crime pages of the city's newspapers.

sobre el mostrador, colillas dobladas entre las hendiduras del piso y un perro que descansaba a los pies de la cantinera. Pensé que todos y cada uno de aquellos hombres podía ser un asesino. La luz de los focos era tan débil que apenas llegaba a tocar el fondo de los vasos. Tuve la visión de algo sombrío, de ojos esquivos, de caras cuya piel se había vuelto de un color verdoso y sugería, más que nada, una mezcla de rencores, sumisiones y reservas. Aquellos hombres, en su borrachera, parecían estar representando una farsa actualizada del infierno y probablemente habrían de repetirla cada viernes por la noche. Porque para ellos las visitas a la cantina eran largas y puntuales. Después de haber escuchado durante horas los lamentos de alguna mujer en la voz cascada de la rocola, ejecutarían el convenido ritual de quien va a emborracharse ante su propio entierro.

Ahora yo estaba fumando, con las fotografías de la muchacha puestas sobre la mesa, cuando de repente alguien me habló con una voz cansada. Era la cantinera preguntándome si quería algo más. El hombre de la mirada oblicua se plantó delante de la mesa, resoplando como un animal herido, y esta vez supe que no sólo quería un cigarrillo. El interés que mostró por las fotografías me hizo pensar en algo. Su mirada se quedó como paralizada durante unos segundos. Después empezó a retroceder, con un brazo en alto, sin pronunciar palabra.

De pronto supe de lo que ese hombre era capaz, quizá por la manera brutal en que su mano se había alzado en la penumbra. Repentinamente me quedé convencido de que él había asesinado a la muchacha, y que en adelante vagaría suelto con un cuchillo por mi mente. ¿Cómo es que no me había dado cuenta antes? ¿Pero por qué él?, me dije maldiciendo por haberlo encontra-

"Look, showing me that shit won't get you anywhere," said the man, the expression in his eyes hardening. "She was into a lot of stuff, and you should have seen the way she danced."

"She's dead," I said.

"So what!" he said sharply. "Maybe that's what she was looking for."

He was suddenly sober and pronounced those words with such determination! The way he spoke, with a kind of contained ferocity, without weighing the consequences —the value those words might have had in a court of law— made his statement seem more like the declaration of a principled man who has been offended than the confession of a murderer… Then, as though he had recovered, he became himself again, a poor devil who was having a hard time staying on his feet, crucified to the wires of the jukebox.

I could easily reconstruct that scene, with the help of smoke and music at full blast, of the icy wind that blew in through the door on that indecisive early morning. Maybe this isn't entirely true, maybe it's only an arbitrary approximation of the facts, a simple guess. Just as I did then, I can still imagine the nights when the girl danced, barefoot and provocative, before they threw her violently into the street. I imagine that she would take time getting to her feet, calling for help in vain, because as far as the customers were concerned, she was not a woman but a shadow beyond their reach. After she had been thrown into the night, the man with the oblique gaze would suddenly push her to the ground and begin by slapping her before pulling out a knife and leading her along an out-of-the-way street. She would run, stumbling with every step, then she would run,

do. Pues a mí únicamente se me había permitido recobrarla, después de muerta, para la crónica roja de esta ciudad y gracias al tosco mecanismo de una cámara.

—Vea, mostrándome esa mierda no saca nada —dijo el hombre endureciendo la expresión de los ojos—. Era una viciosa y había que verla cuando se ponía a bailar.

—Está muerta —le dije.

—¡Y qué! —repuso cortante—. Tal vez era eso lo que ella andaba buscando.

¡Con cuánta resolución y súbita sobriedad había pronunciado aquellas palabras! Por la manera en que las dijo, con una especie de ferocidad contenida, sin sopesar las consecuencias ni el valor que éstas pudieran tener para la justicia, más pareció la declaración hecha por un hombre herido en sus principios, que la confesión de un asesino. De pronto, como si se hubiera recuperado, volvió a ser él mismo, un pobre diablo que a duras penas podía mantenerse en pie, crucificado a los alambres de la rocola.

Fácilmente podía reconstruir esa escena, con ayuda del humo y de la música en plena actividad, del viento helado que se colaba por la puerta en la indecisa madrugada. Quizá no sea toda la verdad, sino una arbitraria aproximación a los hechos, una simple conjetura. Podía y aún puedo imaginar las noches en que la muchacha se había puesto a bailar, descalza y provocativa, antes de que la echaran con violencia a la calle. Supongo que ella tardaría en recobrarse, pidiendo en vano auxilio, porque para los clientes no era una mujer sino una silueta inalcanzable. Arrojada a la noche, en un instante, el hombre de la mirada oblicua la tiraría al suelo, y empezaría a abofetearla antes de sacar un cuchillo, y condu-

frantic, in the opposite direction. In that unequal race through the darkness, she may even have been dragged through the mud, battered and sobbing, without ever understanding why they were killing her.

Now I saw it all clearly.

Undoubtedly, that man could not allow others to defile her with their looks, even though the girl remained completely oblivious to the viscous expressions of those who seemed to be staring at her from the gloom. The bar would be filled with people, ghostly shadows would pass by and move between the tables. Someone would shout, but not at the girl, of that he was certain. He would have wished for them to go, to leave him alone with her. He would begin to tremble as soon as the music began. He may even have stayed there, staring at her, resentful, desiring every particle of that body so frenetically engrossed in the dance, knowing even then what he was going to do to it (and I also ask myself if he killed her out of pity, or because he was perhaps secretly in love with her excessive innocence). Later he would ask himself, his eyes filled with despair, if she always acted like that when other men were around. If her body would forever radiate the same sensual joy it seemed to take on when she danced barefoot by the bar. And if she enjoyed allowing herself to be defiled by those looks... His instict would tell him that under no circumstances would she find there what she was looking for. It was dreadful, but only in death had she belonged completely to him... only when he took her away forever from the looks of others. And that's why he beat her as he dragged her to the street where the crime took place.

Now the man turned and smiled at me with slow

cirla por algún camino apartado. Ella correría tropezándose a cada paso, después correría excitada en sentido contrario. En aquella desigual carrera por la oscuridad, hasta es posible que se arrastrase sobre el lodo, ultrajada y sollozante, sin haber logrado explicarse jamás por qué la estaban matando.

Ahora lo veía todo claro.

Seguramente aquel hombre no podía tolerar que otros la ensuciaran con la mirada, aunque la muchacha se mantuviera totalmente ajena a la expresión viscosa de quienes parecían estar contemplándola desde la penumbra. La cantina estaría llena de gente, sombras espectrales pasarían y se moverían por las mesas. Alguien gritaría, pero no en dirección a la muchacha, de eso estaba seguro. El hubiera deseado que se fueran, que lo dejaran solo con ella. En cuanto empezara a sonar la música él se pondría a temblar. Hasta es posible que se quedara mirándola con rencor, deseando cada partícula de ese cuerpo tan frenéticamente entregado a la danza, sabiendo de antemano lo que le iba a hacer (y también me pregunto si la mató por piedad o acaso porque amaba en secreto los excesos de su inocencia). Después se preguntaría, con los ojos llenos de angustia, si ella se comportaba siempre así ante otros hombres. Si su cuerpo seguiría irradiando la misma sensual alegría que parecía poner cuando bailaba descalza junto al mostrador. Y si le gustaba dejarse ensuciar por esas miradas... Su instinto le diría que en ningún caso ella iba a encontrar allí lo que andaba buscando. Era terrible, pero sólo en la muerte había sido completamente suya... sólo alejándola para siempre de la mirada de los otros. Y por eso la arrastró a golpes hasta la calle del crimen.

Ahora el hombre se volvió y me sonrió con lenta

bitterness. Something in him seemed to have been crippled by the city's shared misery, a hatred born in pretense, in the servile attitude of being what others want us to be.

"Why don't we just forget that crazy kid and have a beer, boss...?" the man said in an obsequious tone as he sat down at my table. It would have been absurd to ask any more questions, so I lit a cigarette with the bitter feeling of having lost. I realized that I was in the middle of a dream, perhaps in the void.

When I returned to the studio after some hours, I was met by a surprise. The Hippy was there. So she had returned, as they all return in the cold dawn hours, looking for warmth and a safe place to sleep. She had come without a coat, walking in the rain. I saw a bunch of lilies sticking out of her still-wet purse. When I found her sleeping peacefully, I shrugged. At last I could sit quietly, without thinking, more drunk than satisfied. But the Hippy sat up after a short time, raising a hand to her eyes. She behaved with studied sweetness, learned from the movies perhaps, or rehearsed repeatedly before a mirror in some motel. Instead of feeling irritated, I was grateful for that woman. I liked the fact that she always showed up at dawn, like a cat. When I went to her side, I felt on my face her warm breath smelling of cigarettes. I ran my hand over her hair as, little by little, I removed the sheet that covered her. For a moment I felt sad, I knew that body too well, I had caressed it an infinite number of times, I did not want to bury myself in routine.

"Dance barefoot!" I said to her.

She held my face in her hands. I felt her panting

amargura. En él había algo que parecía estropeado por la miseria común de esta ciudad, un odio generado en la simulación, en el servilismo de ser lo que otros quieren que seamos.

—¿Qué tal, si nos olvidamos de la loca y más bien nos tomamos una cervecita, jefe...? —dijo el hombre en tono adulador, sentándose a mi mesa. Hubiera sido absurdo seguir preguntando, así que prendí un cigarrillo con el amargo sentimiento de haber perdido. Me di cuenta de que estaba en el centro de un sueño, quizás en el vacío.

Cuando al cabo de unas horas llegué al estudio me encontré con una sorpresa. La Hippy estaba allí. De manera que había vuelto, como vuelven todas en la fría madrugada, buscando calor y un sitio seguro donde dormir. Había venido caminando sin abrigo bajo la lluvia. Vi un ramo de lilas que salía de la cartera todavía mojada. Me encogí de hombros al comprobar que dormía plácidamente. Por fin podía sentarme tranquilo, sin pensar en nada, más borracho que satisfecho. Pero la Hippy se incorporó al rato llevándose una mano a los ojos. Actuaba con una dulzura forzada, acaso aprendida en el cine o muchas veces interpretada frente al espejo de un motel. No sentí irritación, sino más bien gratitud por esa mujer. Me gustaba que apareciera siempre como los gatos a la madrugada. En cuanto me puse a su lado, recibí en la cara su aliento tibio, con olor a cigarrillo. Pasé mi mano por su pelo mientras iba desprendiendo poco a poco la sábana que la cubría. Por un instante sentí tristeza, conocía demasiado bien ese cuerpo, lo había acariciado infinidad de veces, no quería hundirme en la rutina.

—¡Baila descalza! —le dije.

Ella me tomó la cara entre sus manos. Percibí muy

breath very near, the mutual and avid recognition of desire for the fall. The Hippy displayed a coarse tenacity which, at another time, I might have called desperation, but now I realized that she was in the grip of a feeling that clearly escaped me. She quickly stood up, then walked toward the square of yellow light that came in through the window. On the way she plucked a flower from a vase. Then she took a few steps around the study, her breasts just barely covered. Her body, completely free, began to bend backwards, while she shook and looked without expression out the window. Beyond, a fine, grey rain fell over the city.

The Hippy began to dance, twisting her thin body in a vaguely obscene fashion, as though she wanted to relive what had happened on those nights, gone now forever, on the dance floor of a whorehouse. Little by little, I found myself hypnotized by her movements. Her hands shook over her head, now neither the music nor the city at her back held any interest. Because that woman was no longer the Hippy, but, instead, a nightmare incarnate, or the vision of one who sees her most intimate desires fulfilled. There was a slight variation in her pose, in the way her elongated form gradually emerged from the shadows and became an allegory of the dead girl. I remembered her eyes, large and alive, her mud-stained profile and, above all, that look that I would never see again, and that may have been my own invention, or death's... Amazingly, the Hippy did what I had been waiting for. She went to the side of the sofa and, shaking her hair in the lamp's glow, she lost herself in a frenetic dance, avidly sniffing her armpits, in a kind of imaginary embrace. (Was it possible that I, too, could turn into a dog, like the man

cerca su respiración acezante, el mutuo y ávido reconocimiento del deseo en la caída. Había en la Hippy una ruda tenacidad a la que en otro tiempo hubiera llamado desesperación, pero ahora la sentía dominada por un sentimiento que sin duda se me escapaba. Bruscamente se puso de pie, luego se dirigió hacia el recuadro de luz amarilla que penetraba a través de la ventana. Por el camino tomó una flor de un macetero. Luego dio algunos pasos por el estudio, cubriéndose apenas los senos. En completa libertad, su cuerpo hizo el ademán de inclinarse hacia atrás, mientras se agitaba y miraba sin expresión por la ventana. Al otro lado, sobre la ciudad, caía una lluvia impalpable y gris.

La Hippy empezó a bailar, ahora retorcía su delgado cuerpo un tanto obscenamente, como si quisiera revivir, lo que ocurría en las noches sin retorno sobre la tarima de un prostíbulo. Poco a poco sus movimientos comenzaron a producirme los efectos de un trance hipnótico. Sus manos se agitaban encima de su cabeza, ya ni la música, ni la ciudad que estaba a sus espaldas le interesaban. Porque esa mujer ya no era la Hippy, sino la exaltación de una pesadilla o la visión de quien ve cumplidos sus más íntimos deseos. Había una leve variación en su actitud, en la manera cómo su alargada silueta iba saliendo de la sombra para convertirse en una alegoría de la muchacha muerta. Me acordé de sus ojos redondos y vivos, del perfil manchado de barro y sobre todo de esa mirada que no se volverá a repetir, y que tal vez sea una invención mía o de la muerte... Asombrosamente la Hippy hizo lo que yo estaba esperando, se colocó junto al sofá y sacudiéndose el pelo a la luz de la lámpara, se abandonó a una danza frenética, mientras se olisqueaba ávidamente los sobacos, en una especie de abrazo imagi-

with the oblique gaze, when he killed the girl?)

I have thought often, and with a trace of fury, that the Hippy stood in for the dead girl that night. I ask myself what her reasons were for taking that risk. If it was only to please me that she had gloried in shaving her public hair, something I'd suggested, handing her a razor, as she permitted herself to be humiliated, lying face down like a bitch on the rug... "You wish I were her," she said. Then she started crying, her face pressed against a mirror. "I'm leaving, if that's what you want," she added, drying her eyes with a tissue. "Do you think I don't see what's going on?"

Then she picked up a flowered dress and let it slip over her body, from shoulders to the curve of her hips, in one quick movement. She carefully repaired mascara that had run, leaving an ugly shadow above her eyelids. The Hippy was always happy, though never entirely so. But now I knew that she would never come back.

I tried to relieve the void her departure left by looking at the clock on the church of San Francisco. I wanted to imagine how it would feel to be at that very moment in a cafe in Istanbul, or walking through the streets of Lisbon where the air has the salty smell of the sea and one hears the distant comings and goings of ships on the river. I wanted to imagine that my real destiny was not here but in another city, in a station in Berlin, where the girl whose name has not been revealed to me in dreams most certainly waits for me. I imagined this and a lot of other things. It was as if I had seen the female lead in a movie walk through a park and I was suddenly face to face with her, the girl, just before she was killed.

nario (¿Cabía la posibilidad de que yo acabara convertido en un perro como el hombre de la mirada oblicua en el momento de matar a la muchacha?).

Con frecuencia y con un poco de saña he pensado que esa noche la Hippy ocupó el lugar de la muchacha muerta. Me pregunto cuáles fueron sus intenciones para arriesgarse tanto. Si para complacerme había hecho gala de afeitarse los pelos del pubis, tal como yo le había sugerido alargándole una navaja, mientras se dejaba humillar poniéndose boca abajo como una perra sobre la alfombra... «Quieres que yo sea ella» —me dijo. Después se puso a llorar con la cara arrimada al espejo. «Me voy, si eso es lo que quieres» —añadió limpiándose los ojos con un kleenex. «¿Crees que no me doy cuenta?».

Luego tomó un vestido floreado y dejó que se le deslizara en el cuerpo con un movimiento rápido desde la espalda a la curva de las caderas. Cuidadosamente se compuso el rimmel que se le había corrido dejando una sombra fea encima de sus párpados. La Hippy siempre fue alegre, no demasiado. Pero ahora supe que se iba para no volver más.

Procuré aliviar el vacío que me había dejado su partida mirando el reloj de San Francisco. Quise imaginar cómo sería estar ahora mismo en un café de Estambul o caminando por las calles de Lisboa, donde el aire tiene el olor salobre del mar y se escucha a lo lejos el tráfago de los barcos en el río. Quise imaginar que mi verdadero destino no estaba aquí, sino en otra ciudad, en una estación de Berlín donde sin duda me espera la muchacha cuyo nombre no me ha sido revelado en los sueños. Imaginé esto y muchas cosas más. Fue como si hubiera visto

I was not resigned to living in a city that disappears under a grey, compact mist and that keeps all of us immobile, surrounded by a block of mountains. Maybe that's why I imagined the Hippy walking quickly in the rain, her sad, slender figure lost in the crowd, hurrying along under the eaves of the houses to get as quickly as possible to the tiny room she rented, and which she never should have left. And I want her to know that I still hear her voice on sleepless nights and that I don't resent her for having gone away, leaving me alone with the dead girl.

I was left without the Hippy, but with those photos to take the place of my drinking bouts, a futile and inefficient substitute for happiness.

It may be helpful if I add that I am the man with the oblique gaze. It was I who dragged her far from the bar and killed her, deaf to her pleas, so that she would be mine alone. So it would make no sense to report that man to the police, because that man is I. And so, why think about the Hippy? She may very well be settled comfortably by now in the Manhattan Hotel where the Wolf will take it upon himself to find her a street corner, and a wage in the night of the city. But I don't want to talk about her anymore. It's the girl I want to concentrate on, because I know that she is going to return one day to the Catalan's place, and that she will again dance barefoot and whinny from the middle of the dance floor, as though she had never died. As though it were all a dream, or the photograph of a dream not yet fully developed.

a la protagonista de una película cruzar un parque, y de repente estaba ante ella, la muchacha poco antes de ser asesinada. No me resignaba a vivir en esta ciudad que se pierde bajo una niebla gris y compacta, y que nos mantiene a todos en la inmovilidad, rodeados por un bloque de montañas. Tal vez por eso imaginé a la Hippy caminando con prisa bajo la lluvia, su figura delgada y triste perdida entre la gente, cruzando bajo el alero de las casas para llegar cuanto antes al cuartito de arriendo, del cual nunca debió haber salido. Pero quiero que sepa que todavía escucho su voz en las noches de insomnio y que no le guardo rencor a pesar de haberse marchado dejándome solo con la muchacha muerta.

Me quedé sin la Hippy, pero con las fotos para compensar mis borracheras, ese vano e ineficaz sustituto de la felicidad.

Quizá sea conveniente añadir que yo soy el hombre de la mirada oblicua. Yo fui quien la arrastró lejos de la cantina y la mató sin escuchar sus lamentos para que solamente sea mía. De modo que sería una insensatez denunciar a ese hombre, puesto que ese hombre soy yo. Y así, ¿para qué pensar en la Hippy? Puede que ya esté cómodamente instalada en el Hotel Manhattan donde el Lobo se ocupará de asegurarle una esquina y un sueldo en la noche de la ciudad. Pero de ella ya no quiero hablar. Es de la muchacha de quien quiero ocuparme, pues yo sé que algún día va a regresar donde el Catalán y que nuevamente bailará descalza y relinchará en medio de la pista, como si nunca hubiera estado muerta. Como si todo fuese un sueño o la fotografía de un sueño que no acaba de ser revelado.

The Knight with One Hand on His Breast

Jorge Velasco Mackenzie

It was at the beginning of winter, on a grey day with a timid little sun shining forlornly overhead, that we saw him approach. He stopped at the fountain with the lions now green from living so long in the elements, and he turned a mindful gaze at his surroundings: at us on the bench looking like we had just got out of bed, the bottles turning to ice on the wet grass, and the trees beyond. He was tall and thin, and in his face one glimpsed a barely visible touch of illness, of the poet who carried a pen like a weapon in his vest, or of a spy in the habit of protecting his heart with one hand on his breast.

In fact, he didn't remove the hand when he got out of the blue Ford and walked into the park from Alcalá Street. He disappeared for a minute in the mist that fell at that hour like a mosquito net over El Retiro, and then reappeared before us, to your health, he said as he approached.

The previous night they had told me that living in this city was like dwelling in a convent patio. I didn't have sexual fantasies about nuns, and I came to the park with Robin, that Caribbean Hood who died when the wine began to mix with his blood, with Ana and María,

El caballero de la mano en el pecho

Jorge Velasco Mackenzie

Cuando lo vimos venir era un día gris de invierno recién comenzado, había un solcito tímido brillando arriba sin ganas; se detuvo en la pila de los leones, verdes ya de tanto vivir a la intemperie, y le dirigió una mirada atenta al paisaje: nosotros en la banqueta con cara de amanecidos, las botellas helándose sobre los pastos húmedos y atrás los árboles. Era alto y delgado, apenas se le adivinaba en el rostro un aire de ser enfermizo, de poeta que guarda la pluma como un arma en el chaleco, o de espía que se acostumbró a proteger el corazón con una mano en el pecho.

Porque no retiró la mano desde que descendió del Ford azul y penetró al parque por la calle Alcalá, se perdió un momento entre la niebla que a esa hora caía como un toldo sobre El Retiro, y apareció frente a nosotros, salud, dijo acercándose.

La noche anterior me habían dicho que vivir en esta ciudad era habitar el patio de un convento, yo no tenía fantasías sexuales con monjas, y me vine al parque con Robin, ese Hood del Caribe, que moría apenas el vino se le entreveraba con la sangre, con Ana y María, o mejor Anamaría, como decíamos cuando las mirábamos

or better yet, Anamaría, as we said when we saw the two of them side by side, stuck together back to back, like the double and unique woman from that story by Pablo Palacio, read so far away and written so long ago.

The knight gazed at the purple waters that moved in my hands, Robin discovered his thirst, and I offered him a glass filled to the brim with a Rioja aged just two years. Slowly, he brought it to his mouth and in one gulp deposited the contents between chest and back. His eyes sparkled. It was a six in the morning drink, wine from unfamiliar wineskins offered by two foreigners who time and again crushed the cold between the warm breasts of the Anamarías.

He daubed at his lips with the corner of his jacket, made that gesture that only Spaniards make when they are happy, and asked, Where are you from? Robin's guard went up, he would have liked to have him at the foot of a tree, do like William Tell and knock the apple from his head, but the arrow missed and the answer pierced the middle of his forehead: South Americans, he said.

I evoked America, the entire continent, I thought about Columbus kneeling, of Rodrigo de Triana shouting, land ho, all at once, like the test I gave for my teacher in sixth grade at the public school where I studied. The knight sat down and, without looking at us or moving his hand, he traced a sign in the air with the other one. The two women recognized the gesture and translated it. He's inviting us along, said Ana, pressing her little beak mouth to my left ear and María nearly shouted at Robin that yes, let's.

We got up and lifted our women into the air while the knight moved three paces beyond, opened his

juntas, pegaditas espalda con espalda, como la doble y única mujer de ese cuento de Pablo Palacio, leído tan lejos y escrito hace tanto tiempo.

El caballero miró las aguas púrpuras que se movían en mis manos, Robin le descubrió la sed, y yo le ofrecí el vaso lleno hasta el borde de un Rioja de apenas dos años de guardado. Despacio lo llevó hasta su boca y de un sorbo depositó el contenido entre el pecho y la espalda. Los ojos se le achisparon. Era un trago de seis de la mañana, vino de odres desconocidos, brindado por dos extranjeros que a cada rato se apachurraban el frío entre los senos tibios de las Anamarías.

Se limpió los labios con el borde de la chaqueta, hizo ese gesto que solamente hacen los españoles cuando están felices y preguntó: ¿de dónde son? Robin se puso en guardia, hubiera querido tenerlo al pie de un árbol, hacer de Guillermo Tell y tumbarle la manzana de la cabeza, pero erró el flechazo y la respuesta se clavó en el centro de la frente: sudamericanos, dijo.

Evoqué América en todo su continente, pensé en Colón hincado, en Rodrigo de Triana gritando tierra a la vista, todo de un golpe, como el examen que le rindiera a mi maestra de sexto grado en la escuela municipal donde estudié. El caballero se sentó, sin mirarnos ni retirar la mano trazó con la otra un signo en el aire. Las dos mujeres reconocieron ese gesto y lo tradujeron. Nos invita, dijo Ana, pegando su boquita pico en mi oreja izquierda y María casi le gritó a Robin que sí.

Nos pusimos de pie, levantamos en vilo a nuestras mujeres mientras el caballero se alejaba tres pasos, aflojaba el zipper de espaldas a nosotros y hacía pichi en el suelo. Por allá, dijo sacudiéndoselo. Yo pude ver el resto del chorro haciendo una cabriola en el aire.

zipper, and with his back to us, peed on the ground. That way, he said, giving it a shake. I got a glimpse of the end of the stream making a pirouette in the air.

As we walked along like people on their way to the Crystal Palace, Robin whistled twice, once long and sharp and then short and piercing. First warning, he said to me, while the knight studied the label of the two-calender Rioja: We don't know him, he might be a spy, or a thief who wants to lift our treasures. That hand, I remember saying to him, and scared, I held on tighter to the body of my Ana half.

I don't know why the plot of Pablo Palacio's story kept fucking with me; I went along remembering fragments, entire paragraphs while the others fell silent: *my back, my other side, is, if no one objects, my chest of her;* it was as though I were reading it. The day brightened a little, the warm sun above opened a path among the clouds and deflated their bellies with a few well-aimed rays. The Crystal Palace, the knight said suddenly, turning to point to the odd structure that reflected the weak light. It's still there, the good Robin mused in surprise when he saw the sun reflected from the windows. There is no such place, I know I said to him, thinking that if we went in love would be visible. A vast expanse of glass, with two couples and a madman with a heart problem; the couples doing balancing acts, rehearsing the dialogue of the bodies, and the madman writing with his free hand.

It was cold, so cold that we actually ran. The knight led us along a passageway that he was no doubt already familiar with, touched our shoulders when we came to a cage, and invited us to have a seat. I let myself down slowly. I had yet to look outside, as I was embarrassed

Mientras caminábamos como quien va rumbo al Palacio de Cristal, Robin entonó dos silbos: uno largo y agudo, el otro corto y bronco. Primer aviso, me dijo, mientras el caballero revisaba la etiqueta del Rioja dos calendarios: No lo conocemos, puede ser un espía, o un ladrón que quiere galicharse a nuestros tesoros. Esa mano, recuerdo que le dije yo, y asustado apreté más el cuerpo de mi Ana mitad.

No sé por qué el argumento del cuento de Pablo Palacio seguía jodiéndome; fui recordando pedazos, párrafos enteros mientras todos callaban: *mi espalda, mi atrás, es, si nadie se opone, mi pecho de ella;* parecía que lo estuviera leyendo. El día se alegró un poco, el sol tibio que había arriba se abrió paso entre las nubes y les desinfló la panza con unos cuantos rayos certeros. El Palacio de Cristal, dijo de pronto el caballero, volviéndose para señalar la extraña construcción que reflejaba esa luz débil. Quedaba allí, musitó asombrado el bueno de Robin cuando vio el sol reflejado en los vidrios. No hay tal lugar, sé que le dije yo, pensando que si entrábamos el amor sería visible. Una vitrina inmensa, con dos parejas y un loco que sufría del corazón; las parejas haciendo equilibrios, ensayando el diálogo de los cuerpos, y el loco escribiendo con la mano libre.

Hacía frío, tanto que de verdad corrimos. El caballero nos llevó por un pasillo que seguramente ya conocía, nos tocó los hombros cuando llegamos a una jaula y nos invitó a sentarnos. Despacio me dejé caer. Aún no había mirado afuera, tenía vergüenza de ser intruso en ese mundo visible pero Ana señaló algo detrás de los vidrios y vi la ardilla saltar y hacernos muecas, pegar la nariz en el espacio frío y mordisquear algo inexistente. Fuchi, le dije, porque no soportaba a los animales cautivos,

about intruding on that visible world, but Ana pointed to something beyond the glass and I saw a squirrel hop and make faces at us, hit its nose against the cold space, and nibble at something nonexistent. Fuchi, I said to it, because I couldn't stand caged animals or people who threw flowers and peanuts at them. Make yourselves comfortable, said the knight, whom we will continue referring to as such because he never told us his name. I crossed my legs in the lotus position and brought the woman to my chest, mine, mine, said the pose, seen, not uttered; like that of the outfielder who ran shouting under a fly ball that went down center field. But now is not the time to be talking about baseball but about the man who knelt before us. You are forgiven, Robin said to him, making a terribly tasteless joke; he barely smiled. The truth is he seemed like a troubador who, after reciting poems to the kings, bowed with a hand on his breast as a sign of humility. Thank God I hated sovereigns and thought it better to remain silent. We drank again from the bottle. When it had made the rounds and returned to our hands, he spoke. It was an unexpected miracle, what he said I don't remember, but he gave us the confidence we needed in a country so distant, with so much cold over us and so much loneliness surrounding us. I say loneliness not lightly, the park was empty, without a soul, unless the squirrel had one of its own. Now it had returned, curious, it moved its grey tail and dared to look at us. If only we were like that, said the knight from behind me, our women moved uncomfortably. I've already told you that they were attached, but not exactly at the back like in the story, but due to a strange coincidence. If we were only a little like that, he said again. Ana had given me

ni a la gente que les tiraba flores y cacahuetes. Acomódense, dijo el caballero, al que seguiremos llamándolo así porque nunca nos dijo su nombre. Crucé las piernas en pose de loto y traje a la mujer hasta mi pecho, mía, mía, decía la pose, vista, no pronunciada; como la del jardinero que corre gritando bajo un fly que se va por el centro de la cancha. Pero no es hora de hablar de béisbol sino del hombre que se hincó frente a nosotros. Estás perdonado, le dijo Robin en una broma de pésimo gusto; él apenas sonrió. De verdad se parecía a un juglar que después de recitar poemas a los reyes se inclinara con una mano en el pecho en señal de humildad. Gracias a Dios yo odiaba las testas coronadas y mejor callé. Volvimos a beber del pico. Cuando la botella dio la vuelta y volvió a nuestras manos, él habló. Fue un milagro repentino, lo que dijo no lo recuerdo, pero nos dio la confianza que necesitábamos en un país tan lejano, con tanto frío encima y tanta soledad rodeándonos. Digo soledad no por decirlo, el parque estaba vacío, sin un alma, a menos que la ardilla tuviera la suya. Ahora había regresado, curiosa movía la cola gris y se atrevía a mirarnos. Si fuéramos como ella, dijo el caballero desde detrás de mí, nuestras mujeres se movieron incómodas. Ya les dije que estaban unidas, pero no precisamente por la espalda como en el cuento, sino por una extraña coincidencia. Si fuéramos un poquito como ella, volvió a decir él. Ana me había pasado las manos y yo sentía sus dedos entrelazados que de pronto se aflojaron. No me gustaría ser una ardilla, dijo chillando. El caballero se pegó más la mano en el pecho, era una mano delgada y huesuda, pensé que estaría bien envolviendo una wilson reglamentaria, pero los españoles no juegan al béisbol, matan toros por arte y son buenos cantantes. No ha-

her hands and I felt her entwined fingers loosen suddenly. I wouldn't like to be a squirrel, she said shrieking. The knight pressed his hand closer to his breast, it was a thin, bony hand, I thought it would do well wrapped around a regulation Wilson, but the Spanish didn't play baseball, they killed bulls for art and were good singers. Neither evil nor loneliness would exist, he said after awhile, picking up his train of thought. Robin stirred in his seat. María, above him, opened her eyes. The sleeping beauty of the forest, I said, attempting to parry the attack. The bottle was tipped again to the drinking and the squirrel continued there, not cold like us, without memories, doing no more than looking at the air in the Crystal Palace, listening to the first words of an endless discussion. But those were not the only words heard, others came. The knight's voice was grave now, Robin shouted for a drink, the women were frightened, and I asked, just like that, Why the devil do you go around with your hand on your chest?

because when everything started out there in the streets my father was working with the resistance fought very little did the old man since he always drank too much and one day they picked him up drunk he came out of one of those taverns that still exist in Lavapiés and when he tried to run it was too late he barely managed to take two steps headed toward the corner and there they fell on him he dodged when the first thug tried to send him flying with a fist but he hadn't seen the other one behind and they doubled him over with a blow from a rifle the old man responded with a deadly cuff now there weren't two but three move commie prick they shouted at him and let him have it the falangists four now

bría hechos malos ni soledades, dijo al rato retomando la frase. Robin se removió en su sitio. María, sobre él, abrió los ojos. La bella durmiente del bosque, dije yo, queriendo desviar el avance. La botella volvió a inclinarse al beber del pico y la ardilla siguió ahí, sin frío, como nosotros, sin recuerdos, nada más viendo el aire dentro del Palacio de Cristal, escuchando las primeras palabras de una discusión interminable. Porque no solamente se oyeron esas palabras sino que vinieron otras. La voz del caballero se puso grave, Robin gritó por un trago, las mujeres se asustaron y yo pregunté, así de pronto, ¿por qué diablos lleva usted la mano en el pecho?

porque cuando empezó todo allá en la calle mi padre ocupó un sitio en la resistencia peleó poco el viejo pues siempre bebía demás y un día lo cogieron borracho salía de una de esas tascas que hay todavía por Lavapiés y cuando quiso correr fue tarde apenas pudo dar dos pasos para alcanzar la esquina y ahí le cayeron se agachó cuando el golpe del primer rudo lo quiso levantar del suelo pero no había visto que otro estaba atrás y lo doblaron de un culatazo el viejo respondió con una manga mortífera ya no fueron dos sino tres anda rojillo gilipollas le gritaron y dale los falangetas de a cuatro para los cuatro lados y el viejo pulpo volteándose dale dijeron y uno fue al rostro otro a los güevos y nadie se atrevió a pedir que no le dieran más porque también tendrían la suya las mujeres seguían con la vista cada golpe y cuando el viejo quiso correr hasta la plaza se topó con que los adoquines estaban mojados sangre lavada decían y resbaló tenía dos jarras de vino en la cabeza y un montón de boquerones en el estomágo los cuatro lo siguieron dale al mosto decían y ahora eran patadas en la cabeza en las costillas en las mismas güevas y cuando se cansa-

coming from all four side and the old octopus thrashing about give it to him they said and one went for his face another for his balls and no one dared to ask that they stop because they would be in for it too the women followed each blow with their eyes and when they old man tried to run to the plaza he found that the cobbles were wet washed in blood they said and he slipped he had two carafes of wine in his head and a pile of holes in his stomach the four followed him give it to the lush they said and now there were kicks to the head to the ribs to those balls and when they got tired they said enough they picked him up stand up commie prick and they pulled out their guns I ran with the stampede I watched as my father put his hand to his chest and it all ended with choking the purple storm.

It had been like a short in a cinema, me sitting next to Ana, kissing her between embraces and kicks. Robin listening, recording the response for the rest of his life. But the knight still hadn't answered and we felt cold again; the bottle went around, I honestly don't know where so much liquid came from, there seemed to be a spring of purple waters in the middle of the park. The women recognized it. I'm tired, said María and the other one yawned, it was always like that, soul mates they said and we applauded. They were asleep in a moment and the squirrel returned. We saw it watching us, biting the glass, bringing its tail up as though to wipe away the vapor. The knight lit a cigarette, the sun painted golden hues on the metals of the Crystal Palace. But that hand, I said almost without realizing it. It was as though someone else had spoken, I looked at Robin looking at me, the knight encircled the bottle with his great free

ron dijeron basta lo pusieron de pie párate rojillo gilipollas y desenfundaron yo corrí con el estampido vi cuando mi padre se puso la mano en el pecho y todo terminó con el ahogo la tormenta morada.

Había sido todo como un corto en el cinematógrafo, yo sentado junto a Ana, besándola entre abrazos y puntapiés. Robin escuchando, grabándose la respuesta para toda la vida. Pero el caballero aún no había respondido y volvimos a sentir frío; la botella giró, no sé en verdad de dónde le brotaba tanto líquido, parecía un manantial de aguas púrpuras en el centro del parque. Las mujeres lo reconocieron. Tengo sueño, dijo María y la otra bostezó, siempre era así amigas del alma, decían ellas y nosotros aplaudíamos. En un momento se quedaron dormidas y la ardilla volvió. La vimos espiarnos, morder el vidrio, pasar la cola encima como para limpiarlo de su aliento. El caballero encendió un cigarrillo, el sol pintaba tonos de oro sobre los metales del Palacio de Cristal. Pero esa mano, dije yo casi sin darme cuenta. Fue como si otro hubiera hablado, miré a Robin mirarme, el caballero rodeó la botella con su manaza libre y la sacudió para ver por dónde iba. Dos vueltas más, dijo con tristeza refiriéndose al líquido; si no las contamos a ellas, tres, añadió señalando a las mujeres dormidas.

Volvimos a beber e hicimos silencio. Yo pensé en una invitación a nuestra pieza, a él, no a ellas, porque sabía que la vieja Olvido, no lo toleraría. Hombres sí, me había advertido cuando llegué al Hostal, mujeres nada. Desistí porque no quería interrumpir el sueño de las niñas, ni dejarlas en la calle a esa hora tan triste.

La mano es por el día, dijo de pronto el caballero, rompiendo todo ese hermoso silencio. Las mujeres se

hand and shook it to see how much was left. Two more rounds, he said sadly, referring to the liquid; three if we don't tell them, he added, pointing to the sleeping women.

We drank again and were silent. I thought about inviting him to our room, him, not the women, because I knew that the old crone Olvido, would not put up with that. Men, yes, she had warned me when I arrived at the hostel, no women. I held off because I didn't want to interrupt the girls' sleep, or leave them in the street at that sad hour.

The hand is for the day, the knight suddenly said, breaking all that lovely silence. The women woke up, the squirrel fled terrified, and the bottle stood still for the first time since we bought it. Like a penance, he continued reciting that monologue checked by surprise. And today's day was yesterday's, I said, being drawn without warning into a verbal game. Yes, he responded, that of his death. Then he spoke of the promise, of the years and the days he would spend with his hand on his breast.

It was so simple thinking of that man walking around there, with his arm bent, going into the subway, into the bus, line twenty to Puerta del Sol, with people behind, watching him and he remaining impassive, performing the feat of lighting a cigarette as though he were one-armed.

After taking the last swallow we stood up. The morning was only two hours along, we returned in silence, two couples and the knight leading, like a march in which the crowd spreads through the Plaza Mayor and from a side street more people flow and there are shouts, horns blowing and they all have their arms raised like we

despertaron, la ardilla huyó despavorida y la botella se quedó quieta por primera vez desde que la compramos. Como una penitencia, continuó diciendo en ese monólogo cortado por la sorpresa. Y el día de hoy fue el día de ayer, dije, metiéndome de golpe en un juego verbal. Sí, respondió, el de su muerte; después habló de la promesa, de los años y los días que pasaría con la mano en el pecho.

Era tan simple pensar en ese hombre andando por ahí, con el brazo encogido, metiéndose en el metro, en el autobús de la línea veinte hacia la Puerta del Sol, con la gente atrás, mirándolo y él impasible haciendo la proeza de encender un cigarrillo como si fuera manco.

Cuando bebimos el último sorbo nos pusimos de pie. La mañana había avanzado apenas dos horas, silenciosos hicimos el regreso, las dos parejas y el caballero adelante, como en una marcha en que la concurrencia se desparrama por la Plaza Mayor y desde una calle lateral fluye más gente y hay gritos, bocinazos y todo el mundo tiene los brazos alzados, como ahora nosotros las manos en el pecho, sin que importen el invierno ni las lejanías, los tragos bebidos, las dobles y únicas mujeres con las que uno se mete en la cama antes de dormir hasta el mediodía.

do now with hands on our breasts. And winter doesn't matter, nor the distances, the drinks consumed, the double and unique women with whom one gets into bed before sleeping till noon.

Reseñas biográficas
Notes on the authors

Pablo Cuvi (Quito, 1949) spent his childhood in the port city of Manta. He studied at universities in the United States and Chile, and at the Central University of Ecuador, graduating from that last in sociology and political science. His first theater piece, in which he also acted, opened in Quito in 1974. In the years following, he taught philosophy and Ecuadorian history at the university level. *Velasco Ibarra: el último caudillo de la oligarquía* was published in 1977. Since 1978, his articles and photographs have appeared in a number of magazines, especially *Revista Diners*. *El hermano menor de Marlon Brando*, a collection of theater pieces and cinematographic tales, was published in 1983. Cuvi won the National Short Story Prize, organized by the Ecuadorian Writers Society, in 1985. Subsequently, he edited a bilingual (French/Spanish) anthology of poems by Alfredo Gangotena. A collection of travel tales accompanied by photos, *En los ojos de mi gente*, was published in 1988. That same year, his stage adaptation of *En este pueblo no hay ladrones* was produced.

Jorge Dávila Vázquez (Cuenca, 1947) has written both novels and short stories. In 1976 his novel *María Joaquina en la vida y en la muerte* appeared. *Este mundo es el camino* (short

Pablo Cuvi. (Quito, 1949). Pasó la infancia en el puerto de Manta. Realizó estudios universitarios en Estados Unidos, Chile y la Universidad Central del Ecuador, donde se licenció en Sociología y Ciencias Políticas. Como actor y dramaturgo estrenó su primera pieza en Quito, en 1974. Luego ejerció la cátedra universitaria de Filosofía e Historia Ecuatoriana y se dedicó a la investigación política. En 1977 apareció *Velasco Ibarra: el último caudillo de la oligarquía.* Sus reportajes y fotografías vienen saliendo en diversas revistas desde 1978, especialmente en Revista Diners. En 1983 publicó *El hermano menor de Marlon Brando*, selección de piezas de teatro y cuentos cinematográficos. Ganó en 1985 el Premio Nacional de Cuento convocado por la Sociedad Ecuatoriana de Escritores. Luego vieron luz su antología francés-español de poemas de Alfredo Gangotena, y los relatos y fotografías de viajes por el Ecuador: *En los ojos de mi gente,* (1988). Ese mismo año fue puesta en escena su adaptación teatral *En este pueblo no hay ladrones.*

Jorge Dávila Vázquez. (Cuenca, 1947). Ha publicado novela y cuento. En 1976 aparece su novela *María Joaquina en la vida y en la muerte. Este mundo es el camino* (cuentos, 1980), obtuvo en dos oportunidades el Premio Nacional de Literatura

stories, 1980) was twice selected for the "Aurelio Espinosa Pólit" National Literary Award. *Los tiempos del olvido* (short stories, 1977) was awarded first prize as the best collection of literary prose. *Narraciones,* another collection of stories, was published in 1979. Additional story collections include *Relatos imperfectos* (1980), *Cuentos de cualquier día* (1983), and *Las criaturas de la noche* (1985).

Iván Egüez (Quito, 1944) has written both novels and short stories. His publications include *La Linares* (novel, "Aurelio Espinosa Pólit" Award, 1975), *El triple salto* (short stories, 1981), *El poder del gran señor* (novel, 1985), *Pájara la memoria* (novel, 1984), and *Anima Pávora* (short stories, 1990). The works of Egüez have appeared in a number of international anthologies and studies, including *Novísimos narradores hispanoamericanos en marcha* (selection and prologue by Angel Rama).

Iván Oñate (Ambato, 1948). In 1968, Sol Ediciones (Córdoba, Argentina) included his work in *Estadía poética,* a select anthology of Latin American poets. The Central University of Ecuador published a collection of poetry by Oñate entitled *En casa del ahorcado* in 1977. In 1983, Vivavida publishers brought out another collection, *El ángel ajeno*. *El hacha enterrada*, a collection of eight short stories, was published in 1987. In 1988, the Metáfora series (poetry collections published by Editorial El Conejo) was inaugurated with the publication of *Anatomía del vacío*. Oñate completed university studies in Ambato, Quito, Argentina, and, finally, Barcelona, Spain where he received his doctorate in Communication Sciences at the Autonomous University of Barcelona.

He now teaches semantics and semiotics in the School of

«Aurelio Espinosa Pólit». *Los tiempos del olvido* (cuentos, 1977) mereció la primera distinción como el mejor libro de prosa literaria. *Narraciones* (1979). Además ha publicado *Relatos imperfectos* (1980). *Cuentos de cualquier día* (1983) y *Las criaturas de la noche* (cuentos, 1985).

Iván Egüez. (Quito, 1944). Ha incursionado en la novela y el cuento. *La Linares* (novela, Premio Aurelio Espinosa Pólit, 1975). *El triple salto* (cuentos, 1981). *El poder del gran señor* (novela, 1985). *Pájara la memoria* (novela, 1984). *Ánima Pávora* (cuentos, 1990).

Iván Egüez consta en varias antologías y estudios internacionales, como *Novísimos narradores hispanoamericanos en marcha* (selección y prólogo de Angel Rama).

Iván Oñate. (Ambato, 1948). En el año 1968, Sol Ediciones de Córdoba, Argentina, lo incluyó en *Estadía Poética,* una pequeña antología de poetas latinoamericanos. En 1977, la Universidad Central del Ecuador publica su libro *En casa del Ahorcado.* Posteriormente y en 1983, la editorial Vivavida lanzó su obra poética *El Angel Ajeno.* En 1987, publica *El hacha enterrada*, una colección de ocho cuentos. En 1988 se inicia la colección Metáfora (poesía Editorial El Conejo) con *Anatomía del Vacío.*

Iván Oñate realizó estudios en su ciudad natal, en Quito, en Argentina y por último en Barcelona (España) donde siguió el curso de doctorado en Ciencias de la Comunicación en la Universidad Autónoma de Barcelona. Actualmente se desempeña como profesor de Semántica y Semiología en la Escuela de Literatura y Castellano de la Universidad Central. En el campo de la Semiótica, Oñate ha dirigido importantes investigaciones sobre narrativa latinoamericana.

Literature and Spanish at the Central University. In the field of semiotics, Oñate has directed major studies of Latin American literature.

Raúl Pérez Torres (Quito, 1941). He has produced seven collections of short stories, including *Da llevando* (1970), *Manual para mover las fichas* (1976), *Micaela y otros cuentos* (first prize, National Short Story Award, 1976), *Ana la pelota humana* (Círculo de Lectores, 1978), *Musiquero joven, musiquero viejo* ("José de la Cuadra" Literary Award, 1977), *En la noche y en la niebla* (Casa de las Américas prize, Cuba, 1980), *Un saco de alacranes* (1989). His novel, *Teoría del desencanto*, was published in 1985 by Editorial Planeta. His stories have appeared in a number of publications throughout Latin America.

Francisco Proaño Arandi (Cuenca, 1944). His published works include *Poesías* (1961), *Historias de disecadores* (short stories, 1972), *Antiguas caras en el espejo* (novel, "José Mejía Lequerica" prize awarded by the city of Quito, 1984), *Oposición a la magia* (short stories, 1986), and *La doblez* (short stories, 1986).

Proaño, a member of the nation's diplomatic corps, has represented Ecuador in a number of countries. His stories have appeared in international anthologies.

Marco Antonio Rodríguez (Quito, 1941). He studied philosophy and law. His publications include *Rostros en la actual poesía ecuatoriana* (essay, 1961), *Benjamín Carrión y Miguel Zambrano* (essay, 1965), *Isaac J. Barrera, el hombre y su obra* (essay, 1969), *Cuentos del rincón* (short stories, 1970), *Historia de un intruso* (short stories, 1976; awarded

Raúl Pérez Torres. (Quito, 1941). Ha publicado siete libros de cuentos. *Da llevando,* (1970). *Manual para mover las fichas,* (1973). *Micaela y otros cuentos,* Premio Nacional de Cuento, (1976). *Ana la pelota humana* (Círculo de Lectores, 1978). *Musiquero joven, musiquero viejo,* Premio Unico «José de la Cuadra», (1977). *En la noche y en la niebla,* Premio Casa de las Américas, Cuba, (1980). *Un saco de alacranes,* (1989) y la novela *Teoría del desencanto,* (Editorial Planeta, 1985).

Algunos de sus cuentos han aparecido en diversas revistas latinoamericanas.

Francisco Proaño Arandi. (Cuenca, 1944). Ha publicado anteriormente: *Poesías* (1961). *Historias de disecadores* (cuentos, 1972). *Antiguas caras en el espejo* (novela, Premio «José Mejía Lequerica» del Municipio de Quito, 1984). *Oposición a la magia* (cuentos, 1986). *La doblez* (cuentos, 1986).

Francisco Proaño Arandi ha ejercido la carrera diplomática en diversos países. Algunos de sus cuentos han sido publicados en antologías extranjeras.

Marco Antonio Rodríguez. (Quito, 1941). Estudia Filosofía y Derecho. Ha publicado *Rostros en la actual poesía ecuatoriana,* (ensayo, 1962). *Benjamín Carrión y Miguel Zambrano,* (ensayo, 1965). *Isaac J. Barrera, el hombre y su obra,* (ensayo, 1969). *Cuentos del rincón,* (1970). *Historia de un intruso,* (cuentos, 1976), Premio Nacional al mejor libro en habla española en la Feria Internacional del Libro en Leipzig, Alemania, (1978). *Un delfín y la luna,* (cuentos, Premio Nacional de Literatura, «José Mejía Lequerica», 1985).

Abdón Ubidia. (Quito, 1944). Aparte de su obra narrativa ha trabajado también en temas relacionados con la literatura

first prize as the best Spanish language book at the International Book Fair, Leipzig, Germany, 1978), *Un delfín y la luna* (short stories, 1985; winner of the "José Mejía Lequerica" national literary award, 1985).

Abdón Ubidia (Quito, 1944). In addition to fiction, Ubidia has published studies of oral literature, including *El cuento popular* (Quito, 1977) and *La poesía popular ecuatoriana* (Quito, 1982). *Bajo el mismo extraño cielo,* published by Círculo de Lectores (Bogotá, 1979) won the national literary prize in 1979. Ubidia's novel, *Sueño de lobos* (Editorial El Conejo, Quito, 1986), was also awarded the national literary prize and Ecuador's most widely circulated magazine stated that it was the finest work published that year. Ubidia is editor of *Palabra Suelta*, a literary and cultural magazine. His most recently published work is *Divertimentos o Libro de fantasías y utopías* (Editorial Grijalbo, 1989), a collection of short fiction. A collection of forty works by authors born since 1940, and edited by Ubidia, *Antología del cuento ecuatoriano contemporáneo,* is scheduled to be published soon.

Javier Vásconez (Quito, 1946). He studied art and literature at the University of Navarra in Spain and at the University of Vincennes in Paris. His first collection of stories, *Ciudad lejana*, was published in 1982. In 1983 the story *Angelote, amor mío* won honorable mention in a contest sponsored by *Revista Plural,* a Mexican publication. In 1989, Ediciones Libri Mundi inaugurated its narrative collection with the publication of *El hombre de la mirada oblicua*. A German translation of this collection is scheduled for publication. His stories have appeared in various Latin American and European magazines.

oral. En este campo pueden mencionarse *El cuento popular,* (Quito, 1977); *La poesía popular ecuatoriana,* (Quito, 1982), entre otros. Su libro de relatos *Bajo el mismo extraño cielo,* (Bogotá, Círculo de Lectores, 1979), mereció el Premio Nacional de Literatura de ese año. Su novela *Sueño de lobos,* (Quito, Editorial El Conejo, 1986) también ganó ese premio y la revista de mayor circulación la declaró *El mejor libro del año.* Actualmente dirige la revista *Palabra Suelta,* y la Editorial Grijalbo acaba de publicar (abril, 1989) su obra *Divertimentos o Libro de fantasías y utopías.* En breve verá la luz su *Antología del cuento ecuatoriano contemporáneo* (40 autores nacidos a partir de 1940).

Javier Vásconez. (Quito, 1946). Realiza estudios universitarios de Arte y Literatura en la Universidad de Navarra, España. Prosigue sus estudios en la Universidad de Vincennes, en París. En 1982 publica un libro de cuentos, *Ciudad lejana.* En 1983 gana la Primera Mención de la Revista Plural en la ciudad de México, D.F., con el cuento *Angelote, amor mío.* En 1989, Ediciones Libri Mundi inicia la colección de narrativa con *El hombre de la mirada oblicua.* Una colección de cuentos que próximamente será traducida al alemán. Sus relatos han aparecido en diversas revistas latinoamericanas y europeas.

Jorge Velasco Mackenzie. (Guayaquil, 1949). Este autor costeño ha publicado novela y cuento. *De vuelta al paraíso* (cuentos, 1974). *Como gato en tempestad* (cuentos, 1978). *Raimundo y la creación del mundo* (cuentos, 1981). *El rincón de los justos,* (novela) Premio Nacional a la mejor obra publicada en 1985. *Músicos y amaneceres* (cuentos, 1987). *Clown,* (cuentos, 1988). *El ladrón de levita,* (novela, 1989).

Jorge Velasco Mackenzie (Guayaquil, 1949), a coastal writer, has produced both novels and short stories, including *De vuelta al paraíso* (short stories, 1974), *Raimundo y la creación del mundo* (short stories, 1981), *El rincón de los justos* (novel, national prize for the best work published in 1985), *Músicos y amaneceres* (short stories, 1987), *Clown* (short stories, 1988), *El ladrón de levita,* (novel, 1989).

Indice